Longman

GRAMMAR HOUSE
초등영문법

Longman GRAMMAR HOUSE 초등영문법 ①

지은이 교재개발연구소
편집 및 기획 English Nine
발행처 Pearson Education South Asia Pte Ltd.
판매처 inkedu(inkbooks)
전화 02-455-9620(주문 및 고객지원)
팩스 02-455-9619
등록 제13-579호

ISBN 978-11-88228-46-1 (63740)

잘못된 책은 구입처에서 바꿔 드립니다.

GRAMMAR HOUSE

초등영문법

1

Introduction

GRAMMAR HOUSE 초등영문법 시리즈는
총 6권으로 영어 문법을 처음 시작하는 초등학생들이 초등영문법을
완전 마스터할 수 있게 구성되어 있습니다.
간략하고 쉬운 문법 설명과 반복되는 문제들을 풀다보면
어느새 문법이 친근하게 느껴집니다.

GRAMMAR HOUSE 1

- 명사
- 명사의 복수형
- 인칭대명사 I
- be동사
- 형용사 I
- be동사 부정문
- be동사 의문문
- 지시대명사
- 일반동사
- 일반동사의 변화
- 일반동사 부정문
- 일반동사 의문문
- can의 쓰임
- be going to의 쓰임
- 지시형용사
- 인칭대명사 II
- 초등 2~4학년

GRAMMAR HOUSE 2

- 셀 수 없는 명사
- 정관사
- There is / There are
- There is / There are -
  부정문과 의문문
- 형용사 II
- 부사
- 기수와 서수
- 수 읽기
- be동사 과거형
- 일반동사 과거형
- 일반동사 과거형 -
  부정문 / 의문문
- 명령문
- 시간 전치사
- 장소 / 위치 전치사
- 의문사와 의문문 I
- 의문사와 의문문 II
- 초등 2~4학년

GRAMMAR HOUSE 3

- 셀 수 없는 명사의 수량 표시
- some / any
- many / much / a lot of와
  a few / a little
- 인칭대명사 III -
  소유격 / 소유대명사
- 현재진행형
- 현재진행형 -
  부정문 / 의문문
- 과거진행형
- it의 다양한 쓰임
- 방향 전치사
- 빈도부사
- 접속사 I
- How + 형용사 / 부사
- 조동사 will
- must와 have to
- 조동사 can
- 감탄문
- 초등 3~5학년

GRAMMAR HOUSE 4

- 시각 / 분수 읽기
- 전치사 I
- 접속사 II
- 부가의문문
- 조동사 may
- must / can't /
  will be able to
- 비교급
- 최상급
- What / Which
- Why / Where / When
- Who / Whose / How
- Who / What 주어 역할
- 동사의 쓰임
- 감각동사
- 수여동사
- 동명사 / 진행형
- 초등 3~5학년

GRAMMAR HOUSE 5

- 재귀대명사
- 부정대명사 I
- 부정대명사 II
- 부정대명사 III
- 동명사
- to부정사
- 동사 + 동명사 / 동사 +
  to부정사
- 제안 / 권유 표현
- 현재분사
- 과거분사
- 수동태 I
- 수동태의 부정문과 의문문
- 조동사 - would like to /
  had better
- 의문사 + 조동사로
  묻고 대답하기
- 전치사 II
- 접속사 III
- 초등 4~6학년

GRAMMAR HOUSE 6

- 문장의 5형식 I -
  1형식 / 2형식 문장
- 문장의 5형식 II -
  3형식 / 4형식 문장
- 문장의 5형식 III -
  5형식 문장
- by 이외의 수동태
- to부정사의 용법 I -
  명사 / 형용사 역할
- to부정사의 용법 II -
  부사 역할
- to부정사와 동명사
- 동명사와 현재분사
- 현재완료 I - 완료 / 결과
- 현재완료 II - 경험 / 계속
- 현재완료 III -
  부정문 / 의문문
- 현재완료시제와 과거시제
- 관계대명사
- 주격 관계대명사
- 목적격 관계대명사
- 관계대명사 what과 that
- 초등 5~중 1학년

GRAMMAR HOUSE 1

Contents

Chapter 01 명사 --- 06
Chapter 02 명사의 복수형 --- 10
Chapter 03 인칭대명사 I --- 14
Chapter 04 be동사 --- 18
REVIEW TEST 1 --- 22

Chapter 05 형용사 I --- 26
Chapter 06 be동사 부정문 --- 30
Chapter 07 be동사 의문문 --- 34
Chapter 08 지시대명사 --- 38
REVIEW TEST 2 --- 42

Chapter 09 일반동사 --- 46
Chapter 10 일반동사의 변화 --- 50
Chapter 11 일반동사 부정문 --- 54
Chapter 12 일반동사 의문문 --- 58
REVIEW TEST 3 --- 62

Chapter 13 can의 쓰임 --- 66
Chapter 14 be going to의 쓰임 --- 70
Chapter 15 지시형용사 --- 74
Chapter 16 인칭대명사 II --- 78
REVIEW TEST 4 --- 82

실전모의고사 1회
실전모의고사 2회
실전모의고사 3회

1 명사의 의미

명사는 우리 주위에 있는 모든 것들의 이름을 나타내는 말입니다.
명사는 사람, 장소, 사물, 동물 등을 나타냅니다.

사람을 나타내는 말	teacher 선생님	student 학생	doctor 의사	farmer 농부	mother 엄마
장소를 나타내는 말	museum 박물관	house 집	library 도서관	school 학교	hospital 병원
사물을 나타내는 말	chair 의자	pencil 연필	computer 컴퓨터	bag 가방	tree 나무
동물을 나타내는 말	cow 소	cat 고양이	camel 낙타	deer 사슴	tiger 호랑이
과일·야채를 나타내는 말	apple 사과	tomato 토마토	potato 감자	carrot 당근	onion 양파

2 명사와 관사

명사 앞에 a나 an을 쓸 수 있습니다.

a + 자음소리로 시작하는 명사	a book 책 a carrot 당근	a cat 고양이 a doctor 의사
an + 모음소리(a, e, i, o, u)로 시작하는 명사	an apple 사과 an orange 오렌지	an egg 달걀 an onion 양파

Tips a나 an은 부정관사라고 하며 '하나', '한 개'의 의미를 가지고 있습니다.

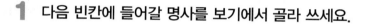

1 다음 빈칸에 들어갈 명사를 보기에서 골라 쓰세요.

| banana | father | library | zebra | chair |

01 사람: doctor   teacher   sister   <u>father</u>

02 사물: sofa   book   _____   pencil

03 과일: apple   _____   orange   melon

04 장소: _____   museum   school   church

05 동물: elephant   tiger   _____   monkey

2 다음 보기에서 해당하는 명사를 찾아 쓰세요.

| pencil artist train desk onion hospital |
| carrot sister boy church library |
| tomato doll cabbage student park |

01 **사람:**   <u>artist,</u> _____

02 **장소:**   _____

03 **과일·야채:**   _____

04 **사물:**   _____

WORDS

banana 바나나   **father** 아버지   **library** 도서관   **zebra** 얼룩말   **chair** 의자   **museum** 박물관
church 교회   **elephant** 코끼리   **monkey** 원숭이   **doll** 인형   **cabbage** 양배추

Guide
a나 an은 부정관사라고 하며, 모음소리로 시작하는 명사 앞에 옵니다.

1 다음 괄호 안에서 알맞은 것을 고르세요.

01 (a / (an)) **e**gg 달걀　　　02 (a / an) **b**ook 책

03 (a / an) **b**oy 소년　　　04 (a / an) **a**nt 개미

05 (a / an) **b**us 버스　　　06 (a / an) **o**range 오렌지

07 (a / an) **t**iger 호랑이　　08 (a / an) **a**pple 사과

09 (a / an) **e**lephant 코끼리　10 (a / an) **d**octor 의사

11 (a / an) **c**lock 시계　　　12 (a / an) **a**irplane 비행기

13 (a / an) **a**rtist 예술가　　14 (a / an) **b**ox 상자

2 다음 단어 앞에 a 또는 an을 쓰세요.

01 　a　 **r**abbit 토끼　　　02 ＿＿ **c**omputer 컴퓨터

03 ＿＿ **l**ion 사자　　　　04 ＿＿ **a**lbum 앨범

05 ＿＿ **b**ottle 병　　　　06 ＿＿ **o**wl 부엉이

07 ＿＿ **l**eg 다리　　　　08 ＿＿ **l**amp 등

09 ＿＿ **o**nion 양파　　　10 ＿＿ **f**riend 친구

11 ＿＿ **u**ncle 삼촌　　　12 ＿＿ **b**all 공

13 ＿＿ **p**hone 전화기　　14 ＿＿ **l**etter 편지

WORDS
orange 오렌지　**elephant** 코끼리　**airplane** 비행기　**owl** 부엉이　**lamp** 등　**uncle** 삼촌

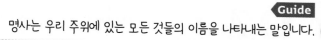

1 다음 단어 앞에 a 또는 an을 쓰고, 명사의 뜻을 쓰세요.

01 __a__ cat ⟶ 고양이

02 ____ eraser ⟶ _____

03 ____ cap ⟶ _____

04 ____ piano ⟶ _____

05 ____ umbrella ⟶ _____

06 ____ orange ⟶ _____

07 ____ box ⟶ _____

08 ____ flower ⟶ _____

09 ____ park ⟶ _____

10 ____ egg ⟶ _____

11 ____ elephant ⟶ _____

12 ____ restaurant ⟶ _____

13 ____ house ⟶ _____

14 ____ girl ⟶ _____

15 ____ arm ⟶ _____

WORDS

eraser 지우개 umbrella 우산 flower 꽃 elephant 코끼리 restaurant 식당 arm 팔

Chapter 02 명사의 복수형

본문 강의

1 명사의 복수

1 명사가 하나일 때에는 단수, 둘 이상일 때에는 복수라고 합니다. 명사의 복수형을 만드는 방법은 여러 가지가 있습니다.

cat

cats

2 명사의 복수형 만드는 법

대부분의 명사에는 -s를 붙입니다.	desk 책상 → desks carrot 당근 → carrots	tiger 호랑이 → tigers cat 고양이→ cats
-x, -s, -sh, -ch, -o로 끝나는 명사에는 -es를 붙입니다.	bus 버스 → buses fox 여우 → foxes	watch 시계 → watches potato 감자 → potatoes
[모음+y]로 끝나는 명사에는 -s를 붙입니다.	toy 장난감 → toys boy 소년 → boys	day 날, 낮 → days
[자음+y]로 끝나는 명사는 -y를 -i로 바꾸고 -es를 붙입니다.	city 도시 → cities story 이야기 → stories	baby 아기 → babies
-f나 -fe로 끝나는 명사는 -f나 -fe를 -ves로 바꿉니다.	wolf 늑대 → wolves	knife 칼 → knives
불규칙적으로 변하는 명사는 외워야 합니다.	man 남자 → men mouse 쥐 → mice	child 어린이 → children woman 여성 → women

Tips
- 단수형과 복수형의 형태가 같은 명사가 있습니다.
  fish 물고기 – fish   sheep 양 – sheep   deer 사슴 – deer
- 복수형 명사 앞에는 a나 an이 올 수 없습니다. a나 an은 단수형 명사 앞에만 옵니다.
  a knives (X)   a knife (O)   a women (X)   a woman (O)
- -o로 끝나는 단어 중 복수형에 -s만 붙이는 경우도 있습니다.
  photo 사진 – photos   piano 피아노 – pianos

Guide

명사가 하나일 때에는 단수, 둘 이상일 때에는 복수라고 합니다.

1 다음 괄호 안에서 명사의 복수형을 고르세요.

01 Tom has two ((dogs) / doges).
톰은 개가 2마리 있다.

02 There are five (bus / buses) on the road.
도로에 버스가 5대 있다.

03 My brother has three (watchs / watches).
나의 형은 손목시계가 3개 있다.

04 Seoul and Busan are big (citys / cities).
서울과 부산은 대도시들이다.

05 There are two (knives / knifes) on the table.
식탁 위에 칼이 2개 있다.

06 He has five (carrots / carrotes).
그는 당근이 5개 있다.

07 There are six (childs / children) in the room.
방에 어린이들이 6명 있다.

08 I have a lot of (toies / toys).
나는 많은 장난감들이 있다.

09 There are two (potatos / potatoes) in the box.
감자 2개가 상자 안에 있다.

10 She has three (pencils / penciles).
그녀는 연필 3개가 있다.

11 He has five (balls / balles).
그는 공이 5개 있다.

12 There are two (woman / women) in the store.
상점에 여성 2명이 있다.

WORDS

road 도로   brother 형   table 식탁   carrot 당근   room 방   toy 장난감   box 상자   store 상점

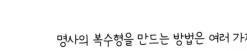

Practice 2

Guide

명사의 복수형을 만드는 방법은 여러 가지가 있습니다.

1 다음 보기의 단어를 이용하여 빈칸에 알맞은 복수형을 쓰세요.

pencil	sheep	box	bench	watch
potato	egg	wolf	rose	glass

01   ⟶   five   pencils

02   ⟶   two _____

03   ⟶   three _____

04   ⟶   nine _____

05   ⟶   two _____

06   ⟶   four _____

07   ⟶   six _____

08   ⟶   eight _____

09   ⟶   four _____

10   ⟶   three _____

WORDS

sheep 양   **bench** 긴 의자   **potato** 감자   **wolf** 늑대   **rose** 장미   **glass** 유리잔

1 다음 주어진 단어를 이용하여 빈칸에 알맞은 말을 쓰세요.

01 There is ____a____ ____cat____ on the sofa. (cat)
소파에 고양이가 한 마리 있다.

02 Five _____ live in the zoo. (wolf)
동물원에는 늑대 5마리가 산다.

03 Tom has two _____. (watch)
톰은 손목시계가 2개 있다.

04 There are nine _____ in the office. (woman)
사무실에 여성이 9명 있다.

05 I have _____ _____. (onion)
나는 양파가 하나 있다.

06 There are five _____ on the table. (apple)
식탁 위에 사과가 5개 있다.

07 There are many _____ in the playground. (child)
놀이터에 많은 어린이들이 있다.

08 There are four _____ on the table. (glass)
식탁 위에 유리잔이 4개 있다.

09 There are five _____ in the room. (box)
방에 상자가 5개 있다.

10 I need two _____. (bag)
나는 가방이 2개 필요하다.

11 She has _____ _____. (umbrella)
그녀는 우산이 하나 있다.

12 I have two _____. (violin)
나는 바이올린이 2개 있다.

WORDS

sofa 소파   zoo 동물원   office 사무실   onion 양파   table 식탁   playground 놀이터

need 필요하다   umbrella 우산   violin 바이올린

Chapter 03 인칭대명사 Ⅰ

본문 강의

① 대명사의 의미

대명사란 앞서 말한 사람, 사물, 동물 등을 대신하는 말로, 말하는 사람과 듣는 사람이 서로 알고 있는 명사에 대해 말할 때 사용합니다.

② 인칭대명사

인칭대명사는 사람이나 물건의 이름을 대신할 때 사용하며, 사람이나 물건의 이름을 부르지 않고 그 이름을 대신하는 표현들입니다.

나, 너, 우리, 그녀, 그들, 그것들 등이 인칭대명사에 속합니다. 각각의 인칭대명사를 문장에서 올바르게 사용할 수 있도록 반드시 암기해야 합니다.

		주격 (~은, 는, 이, 가)	소유격 (~의)	목적격 (~을, 를)
1인칭	단수(한 사람)	I (나는)	my (나의)	me (나를)
	복수(두 사람 이상)	we (우리는)	our (우리의)	us (우리를)
2인칭	단수	you (너는)	your (너의)	you (너를)
	복수	you (너희들은)	your (너희들의)	you (너희들을)
3인칭	단수	he (그는)	his (그의)	him (그를)
		she (그녀는)	her (그녀의)	her (그녀를)
		it (그것은)	its (그것의)	it (그것을)
	복수	they (그들은, 그것들은)	their (그들의, 그것들의)	them (그들을, 그것들을)

Tips
- 명사를 인칭대명사로 나타낼 수 있습니다.
  (1) 남자 1명 = he   예 the boy = he
  (2) 여자 1명 = she   예 my sister = she
  (3) 동물 1마리, 물건 1개 = it   예 my dog = it   his pencil = it
  (4) 나(I)를 포함한 여러 명 = we   예 you and I = we
     너(you)를 포함한 여러 명 = you   예 you and Tom = you
     I와 you를 빼고 여러 명 = they   예 Tom and Jane = they
- 1인칭(나, 우리), 2인칭(너, 너희들), 3인칭(나, 우리, 너(너희들)를 제외한 나머지 사람(들))

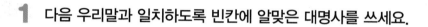

1 다음 우리말과 일치하도록 빈칸에 알맞은 대명사를 쓰세요.

01 너희들은 → ___you___　　02 우리는 → _____

03 그를 → _____　　04 너는 → _____

05 그것은 → _____　　06 그들은 → _____

07 우리의 → _____　　08 너희들의 → _____

09 그들의 → _____　　10 그녀는 → _____

11 너의 → _____　　12 그의 → _____

13 그들을 → _____　　14 나의 → _____

15 그녀의 → _____　　16 그것을 → _____

17 나를 → _____　　18 너를 → _____

19 그는 → _____　　20 우리들을 → _____

2 다음 주어진 명사를 보기 중 하나로 바꿔 쓰세요.

he　　she　　it　　they　　you　　we

01 my brother → ___he___　　02 her mother → _____

03 your sister → _____　　04 his uncle → _____

05 my dogs → _____　　06 our house → _____

07 Jane and I → _____　　08 his books → _____

09 Tom and you → _____　　10 his friends → _____

WORDS

brother 형, 남동생　**mother** 어머니　**sister** 누나, 여동생　**uncle** 삼촌　**house** 집　**friend** 친구

나, 너, 우리, 그녀, 그들, 그것들 등이 인칭대명사에 속합니다.

1 다음 우리말과 일치하도록 빈칸에 알맞은 말을 쓰세요.

01 This is ____your____ book.
이것은 너의 책이다.

02 _____ live in Canada.
그들은 캐나다에 산다.

03 She likes _____.
그녀는 그를 좋아한다.

04 I like _____ songs.
나는 그녀의 노래를 좋아한다.

05 _____ take a walk in the morning.
우리는 아침에 산책을 한다.

06 They like _____ hairstyle.
그들은 너의 머리 스타일을 좋아한다.

07 I know _____ names.
나는 그들의 이름을 알고 있다.

08 He helps _____.
그는 우리를 돕는다.

09 We don't like _____.
우리는 그것을 좋아하지 않는다.

10 This is _____ room.
이것은 그녀의 방이다.

11 My parents love _____.
나의 부모님은 나를 사랑하신다.

12 I am _____ English teacher.
나는 너희들의 영어 선생님이다.

WORDS
live 살다   **like** 좋아하다   **take a walk** 산책하다   **hairstyle** 머리 스타일   **help** 돕다   **room** 방
parents 부모   **teacher** 선생님

인칭대명사는 문장에서 올바르게 사용할 수 있도록 반드시 암기해야 합니다.

1 다음 우리말과 일치하도록 빈칸에 알맞은 인칭대명사를 쓰세요.

01 나는 너를 안다. 너의 이름은 스미스다.

→ I know ____you____ . ____Your____ name is Smith.

02 그의 이름은 존이다. 나는 그의 동생이다.

→ _____ name is John. I am _____ brother.

03 톰과 제인은 나의 친구들이다. 나는 그들을 좋아한다.

Tom and Jane are _____ friends. I like _____ .

04 나는 그것을 안다. 그것의 이름은 블랙키다.

→ I know _____ . _____ name is Blackie.

05 제임스 선생님이 우리들을 가르친다. 그는 우리의 선생님이다.

→ Mr. James teaches _____ . He is _____ teacher.

06 그녀는 그의 이모다. 그는 그녀를 토요일에 방문한다.

→ She is _____ aunt. He visits _____ on Saturday.

07 그는 그들을 가르친다. 그는 그들의 선생님이다.

→ He teaches _____ . He is _____ teacher.

08 나의 엄마는 자동차가 있다. 그것은 매우 오래되었다.

→ _____ mom has a car. _____ is very old.

09 그녀의 이름은 제인이다. 그녀는 그들의 여동생이다.

→ _____ name is Jane. She is _____ sister.

10 그것들은 그의 개다. 그는 그들을 매일 산책시킨다.

→ They are _____ dogs. He walks _____ every day.

11 그것은 나의 연필이 아니다. 그것은 너의 연필이다.

→ _____ is not my pencil. It is _____ pencil.

12 그것들은 딸기다. 우리는 그것들을 시장에서 산다.

→ _____ are strawberries. We buy _____ at the market.

WORDS

know 알다　**name** 이름　**aunt** 이모　**visit** 방문하다　**car** 자동차　**very** 매우　**walk** 산책시키다
every day 매일　**strawberry** 딸기　**market** 시장

1 be동사의 의미

be동사란 우리말로 '~이다', '~에 있다'라는 뜻으로 주어의 존재나 상태를 나타내주는 역할을 하는 동사입니다. be동사는 am, is, are가 있습니다.

> **Tips** 주어란 문장에서 어떤 동작이나 상태의 주체가 되는 말입니다. 우리말로 '~은', '~는', '~이', '~가'로 해석하며, 긍정문일 경우 문장 맨 앞에 위치합니다.
> **They** are my friends. 그들은 나의 친구들이다. (They – 주어)

2 be동사의 쓰임

am	주어가 I(나는)일 때만 사용합니다.	I **am** a student. 나는 학생이다.
are	주어가 You / We / They 그리고 복수명사(teachers, students, friends 등)일 때 사용합니다.	You **are** a student. 너는 학생이다. They **are** my balls. 그것들은 나의 공들이다.
is	주어가 He, She, It 그리고 단수명사일 때 사용합니다.	He **is** strong. 그는 강하다. She **is** my mother. 그녀는 나의 엄마다. My dog **is** very fast. 나의 개는 매우 빠르다.

> **Tips**
> • 나(I)는 흔히 1인칭이라고 합니다. 우리(we)는 1인칭 복수입니다.
>   두 명(개) 이상이 복수이므로 I를 포함한 여러 명을 나타내는 we는 1인칭 복수입니다.
> • 너(you)는 2인칭이고 너희들(you)은 2인칭 복수가 됩니다.
> • 나(우리)와 너(너희)를 뺀 나머지는 3인칭입니다. he, she, it 이외에 my sister, my uncle도 3인칭입니다.
>   마찬가지로 둘 이상이 모여 있으면 3인칭 복수가 됩니다.
> • 주어란 문장에 주인이 되는 역할을 의미하며, 주격이란 주어의 모양을 의미합니다.
>   '그는 학생이다.'를 영작할 때 '그는'이라는 주어 역할을 하기 위해서는 He라는 형태가 되어야 하며, 이를 주격이라고 합니다.

3 be동사 축약

be동사는 다음과 같이 줄여서 사용할 수 있습니다.

I am = I'm	You are = You're	He is = He's / She is = She's
They are = They're	It is = It's	We are = We're

> **Tips** be동사가 명사와 함께 쓰이면 '~이다'라는 뜻이고, 형용사와 함께 쓰이면 '~하다'라는 뜻입니다.
> 장소를 나타내는 전치사와 함께 쓰이면 '~에 있다'라는 뜻입니다.
> She **is** a doctor. 그녀는 의사이다. (~이다)
> She **is** hungry. 그녀는 배가 고프다. (~하다)
> She **is** in the room. 그녀는 방에 있다. (~에 있다)

be동사란 우리말로 '~이다', '~에 있다라는 뜻입니다.

1 다음 괄호 안에서 알맞은 것을 고르세요.

01 I (is / (am) / are) his uncle.
나는 그의 삼촌이다.

02 (It / You / They) are my balls.
그것들은 나의 공들이다.

03 We (am / is / are) students.
우리는 학생들이다.

04 It (am / is / are) my bag.
그것은 나의 가방이다.

05 You (am / is / are) singers.
너희들은 가수들이다.

06 My uncle (am / is / are) a police officer.
나의 삼촌은 경찰관이다.

07 She (am / is / are) very hungry.
그녀는 배가 몹시 고프다.

08 He (am / is / are) a dancer.
그는 무용수다.

09 (He / She / It) is a computer.
그것은 컴퓨터이다.

10 My cat (am / is / are) black.
나의 고양이는 검다.

11 The vegetables (am / is / are) very fresh.
그 야채들은 매우 싱싱하다.

12 Tom and Jim (am / is / are) my classmates.
톰과 짐은 나의 같은 반 친구들이다.

WORDS

uncle 삼촌 ball 공 bag 가방 singer 가수 police officer 경찰관 hungry 배고픈
dancer 무용수 vegetable 야채 fresh 신선한 classmate 반 친구

1 다음 빈칸에 알맞은 be동사를 쓰세요.

01 It _____is_____ a cat.
그것은 고양이다.

02 He _____ our teacher.
그는 우리의 선생님이다.

03 The apples _____ delicious.
그 사과들은 맛있다.

04 They _____ my puppies.
그것들은 나의 강아지들이다.

05 Jane _____ my sister.
제인은 나의 여동생이다.

06 She _____ a nurse.
그녀는 간호사이다.

07 You _____ good students.
너희들은 좋은 학생들이다.

08 My brother _____ six years old.
내 남동생은 6살이다.

09 We _____ busy now.
우리는 지금 바쁘다.

10 Jane and I _____ hungry.
제인과 나는 배가 고프다.

11 His house _____ very big.
그의 집은 매우 크다.

12 The tower _____ very tall.
그 탑은 매우 높다.

WORDS

delicious 맛있는 **puppy** 강아지 **nurse** 간호사 **student** 학생 **busy** 바쁜 **hungry** 배고픈
house 집 **very** 매우 **tower** 타워 **tall** 높은

Practice 3

Guide

be동사는 주어와 함께 줄여서 사용할 수 있습니다.

1 다음 문장의 밑줄 친 부분을 줄여서 문장을 다시 쓰세요.

01 <u>I am</u> your English teacher.

→ _____ I'm your English teacher.

02 <u>He is</u> my cousin.

→ _____

03 <u>We are</u> Americans.

→ _____

04 <u>They are</u> my parents.

→ _____

05 <u>You are</u> a scientist.

→ _____

2 다음 우리말과 일치하도록 주어진 표현들을 바르게 배열하여 문장을 완성하세요.
(단, am, are, is 중 하나를 선택해서 쓰세요.)

01 나는 의사이다. (am, are, is / a doctor / I)

→ _____ I am a doctor.

02 그들은 나의 친구들이다. (they / friends / my / am, are, is)

→ _____

03 그는 너의 삼촌이다. (uncle / your / am, are, is / he)

→ _____

04 너는 아름답다. (am, are, is / you / beautiful)

→ _____

05 존은 간호사이다. (John / am, are, is / a nurse)

→ _____

WORDS

cousin 사촌   **parents** 부모   **scientist** 과학자   **uncle** 삼촌   **beautiful** 아름다운   **nurse** 간호사

공부한 날 :　　　　　　　　부모님 확인 :

01〉 다음 중 명사가 <u>아닌</u> 것을 고르세요.

① rabbit
② potato
③ school
④ boy
⑤ am

02〉 다음 중 사물과 관련된 명사가 <u>아닌</u> 것을 고르세요.

① chair
② book
③ tiger
④ pencil
⑤ bag

【03~05】 다음 관사 a나 an을 이용하여 빈칸에 알맞은 말을 쓰세요.

03〉

_____ cat

04〉

_____ book

05〉

_____ apple

【06~07】 다음 중 명사의 복수형으로 알맞지 <u>않은</u> 것을 고르세요.

06〉 ① boy - boys
② watch - watches
③ carrot - carrots
④ knife - knifes
⑤ baby - babies

07〉 ① fish - fish
② woman - woman
③ sheep - sheep
④ mouse - mice
⑤ child - children

【08~10】 다음 그림을 보고 알맞은 복수형을 쓰세요.

08› bird

→ two _____

09› watch

→ three _____

10› wolf

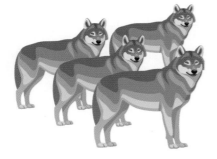

→ four _____

11› 다음 중 인칭대명사 소유격 연결이 알맞지 <u>않은</u> 것을 고르세요.

① I - my
② you - you
③ he - his
④ she - her
⑤ they - their

【12~15】 다음 밑줄 친 부분을 보기에 주어진 인칭대명사로 바꿔 써 보세요.

| He | They | We |

12› <u>My brother</u> is a student.

→ _____ is a student.

13› <u>Jane and I</u> are singers.

→ _____ are singers.

14› <u>The apples</u> are fresh.

→ _____ are fresh.

15› <u>My friends</u> are at the park.

→ _____ are at the park.

【16~18】 다음 빈칸에 들어갈 말을 보기에서 골라 쓰세요.

is   are

16>

It _____ a computer.

17>

Tom and Jim _____ my friends.

18>

My mom _____ a doctor.

【19~21】 다음 우리말과 일치하도록 빈칸에 들어갈 말을 보기에서 골라 쓰세요.

them   his   their

19> 그의 이름은 존이다.

→ _____ name is John.

20> 그것들은 그의 개들이다.
그는 그것들을 매일 산책시킨다.

→ They are _____ dogs.

→ He walks _____ every day.

21> 나는 그들의 이름을 알고 있다.

→ I know _____ names.

【22~24】 다음 우리말과 일치하도록 빈칸에 알맞은 말을 쓰세요.

22> 이것은 그의 컴퓨터이다.

→ This is _____ computer.

23> 우리는 캐나다에 산다.

→ _____ live in Canada.

24> 그녀는 그를 좋아한다.

→ She likes _____ .

25> 다음 단어의 복수형을 쓰세요.

(1) man

→ _____

(2) child

→ _____

(3) mouse

→ _____

(4) sheep

→ _____

【26~28】 다음 문장에서 틀린 부분을 찾아 바르게 고쳐 쓰세요.

26> There are five apple on the table.

→ _____

27> Tom and Jane is my friends.

→ _____

28> I have a onion.

→ _____

【29~30】 다음 우리말과 일치하도록 빈칸에 알맞은 인칭대명사를 쓰세요.

29>
> 그것들은 딸기입니다.
> 우리는 그것들을 시장에서 삽니다.

→ _____ are strawberries.
_____ buy _____ at the market.

30>
> 제임스 선생님이 우리들을 가르친다.
> 그는 우리의 선생님이다.

→ Mr. James teaches _____.
_____ is _____ teacher.

Chapter 05 형용사 Ⅰ

본문 강의

1 형용사의 쓰임과 위치

형용사란 사람의 기분·성격·외모 또는 사물의 크기·모양·색·수량·특징 등을 설명해 주는 말입니다. 형용사는 명사 앞에서 명사를 수식하고 be동사 뒤에서 주어의 상태를 설명하는 역할을 합니다.

주어+be동사+형용사	형용사가 주어를 보충 설명해 줍니다.	He is **tall**. 그는 키가 크다. The car is **red**. 그 자동차는 빨간색이다.
주어+be동사+ 형용사+명사	형용사는 명사 앞에 와서 명사를 좀 더 자세히 설명해 줍니다.	He is a **good** student. 그는 훌륭한 학생이다. They are **fresh** vegetables. 그것들은 신선한 야채들이다.

Tips
- 형용사 다음에 명사가 단수일 경우에 형용사 앞에 a/an을 씁니다.
  a big house (커다란 집) / an old bag (낡은 가방)
- 형용사 다음에 명사가 복수일 경우에는 형용사 앞에 a/an을 쓸 수 없습니다.
  a̶ big houses (커다란 집들) / a̶n̶ old bags (낡은 가방들)

2 형용사의 종류

외모를 나타내는 형용사	beautiful 아름다운 ugly 못생긴 handsome 잘생긴 old 나이 든, 낡은, 오래된 young 어린, 젊은 cute 귀여운
색을 나타내는 형용사	green 초록색의 blue 파란, 파란색의 yellow 노란, 노란색의 black 검은, 검은색의 red 빨간, 빨간색의 pink 분홍색의 brown 갈색의
크기나 모양을 나타내는 형용사	big 큰 small 작은 tall 키가 큰, 높은 long (길이·거리가) 긴 short 짧은 round 둥근 square 정사각형의
기분이나 상태를 나타내는 형용사	happy 행복한 sad 슬픈 hungry 배고픈 tired 피곤한 angry 화가 난 sleepy 졸린
날씨 관련 형용사	sunny 화창한 hot 더운 rainy 비 오는 cool 시원한 cloudy 구름 낀

형용사란 기분·성격·외모 또는 크기·모양·색·수량·특징 등을 설명합니다.

1 다음 문장에서 형용사를 골라 그 뜻을 함께 쓰세요.

01 I am hungry. → ___hungry 배고픈___

02 He is a famous singer. → _____

03 I have an old computer. → _____

04 It is a yellow umbrella. → _____

05 My room is small. → _____

06 They are busy now. → _____

07 She is a clever girl. → _____

08 He has a black piano. → _____

09 Today's weather is sunny. → _____

10 My brother is very handsome. → _____

11 He lives in a big house. → _____

12 I am sleepy now. → _____

13 Tony is cute. → _____

14 It's rainy today. → _____

15 He drives a green car. → _____

WORDS

famous 유명한 **singer** 가수 **umbrella** 우산 **clever** 영리한 **today** 오늘 **weather** 날씨
handsome 잘생긴 **live** 살다 **sleepy** 졸린 **rainy** 비 오는 **drive** 운전하다

Practice **2**

형용사는 [(a/an)+형용사+명사] 형태로 뒤의 명사를 수식합니다.

1 다음 영어를 우리말로 쓰세요.

01 a handsome boy   잘생긴 소년   02 an old book _____

03 a dirty car _____   04 a yellow bus _____

05 fresh vegetables _____   06 a small house _____

07 a black ribbon _____   08 a pretty doll _____

09 a famous singer _____   10 a happy boy _____

2 다음 우리말과 일치하도록 괄호 안에서 알맞은 형용사를 고르세요.

01 The shoes are ((dirty) / clean).
그 신발은 더럽다.

02 The girl is (tall / ugly).
그 소녀는 키가 크다.

03 I like (hot / sunny) weather.
나는 맑은 날씨가 좋다.

04 The boy is (angry / full).
그 소년은 배가 부르다.

05 It's (rainy / windy) today.
오늘 바람이 분다.

06 He has (new / old) shoes.
그는 새 신발을 가지고 있다.

WORDS

vegetable 야채   **house** 집   **ribbon** 리본   **doll** 인형   **shoe** 신발   **ugly** 못생긴   **hot** 더운

angry 화난   **windy** 바람 부는

형용사는 be동사 뒤에서 주어의 상태를 설명하는 역할을 합니다.

1 다음 우리말과 일치하도록 보기에서 단어를 골라 빈칸에 쓰세요.

---
clean   beautiful   slow   fresh   short

new   nice   square   hot   angry
---

01 The room is ____clean____ .
그 방은 깨끗하다.

02 This is a _____ apple.
이것은 신선한 사과다.

03 The girl has a _____ voice.
그 소녀는 아름다운 목소리를 가지고 있다.

04 The train is _____.
그 기차는 느리다.

05 It is _____ outside.
밖은 덥다.

06 The boys are _____.
그 소년들은 화가 나 있다.

07 Jessie has _____ hair.
제시는 머리카락이 짧다.

08 They are _____ shoes.
그것들은 새 신발이다.

09 Mr. Johnson has a _____ car.
존슨 씨는 멋진 자동차가 있다.

10 They want a _____ desk.
그들은 정사각형의 책상을 원한다.

WORDS

room 방 **voice** 목소리 **train** 기차 **outside** 밖 **hair** 머리카락 **want** 원하다 **desk** 책상

 **be동사 부정문**

① be동사의 부정문

1 긍정문이란 '아니', '안', '아니다', '못하다' 따위의 부정어가 쓰이지 않는 문장을 말합니다.

2 부정문이란 '～하지 않다', '～이 아니다'라는 부정의 의미를 나타내는 문장을 말합니다.
be동사가 있는 문장에서는 not을 이용하여 부정문을 만듭니다.

I am a doctor. 나는 의사다.

I am **not** a doctor. 나는 의사가 아니다.

② not의 위치

be동사가 있는 문장을 부정문으로 만들 때 not은 반드시 be동사 다음에 와야 합니다.

긍정문	부정문
I **am** a student.	I **am not** a student. 나는 학생이 아니다.
You **are** a student.	You **are not** a student. 너는 학생이 아니다.
She **is** tired. He **is** strong.	She **is not** tired. 그녀는 피곤하지 않다. He **is not** strong. 그는 강하지 않다.
They **are** students. The boys **are** hungry.	They **are not** students. 그들은 학생이 아니다. The boys **are not** hungry. 그 소년들은 배가 고프지 않다.

③ be동사의 부정문 축약

부정문은 다음과 같이 줄여 쓸 수 있습니다.

I **am not** a doctor. 나는 의사가 아니다.	→ I'**m not** a doctor.
He **is not** a teacher. 그는 선생님이 아니다.	→ He **isn't** a teacher. He'**s not** a teacher.
It **is not** a book. 그것은 책이 아니다.	→ It **isn't** a book. It'**s not** a book.
They **are not** teachers. 그들은 선생님이 아니다.	→ They **aren't** teachers. They'**re not** teachers.

부정문이란 '~하지 않다', '~이 아니다'라는 부정의 의미를 나타냅니다.

1 다음 문장이 부정문이 되도록 빈칸에 알맞은 말을 쓰세요. (축약형으로 쓰지 마세요.)

01 We _____are not_____ singers.

02 She _____ happy.

03 It _____ a sofa.

04 He _____ my brother.

05 My friends _____ hungry.

06 The cookies _____ delicious.

07 I _____ a good student.

08 They _____ my parents.

09 The box _____ heavy.

10 Sam _____ a student.

11 She _____ in the classroom.

12 The movie _____ boring.

13 Tommy _____ a famous actor.

14 We _____ busy in the morning.

15 Jane and I _____ tired.

WORDS

happy 행복한 **sofa** 소파 **friend** 친구 **delicious** 맛있는 **parents** 부모 **heavy** 무거운
classroom 교실 **movie** 영화 **actor** 배우 **in the morning** 아침에 **tired** 피곤한

Practice 2

Guide
be동사 부정문에서 not은 반드시 be동사 다음에 와야 합니다.

1 다음 문장을 부정문으로 바꿔 쓰세요. (축약형으로 쓰지 마세요.)

01 The car is new. 그 자동차는 새것이다.
 → The car _____ is not new _____ .

02 The water is cold. 그 물은 차갑다.
 → The water _____ .

03 She is rich. 그녀는 부자다.
 → She _____ .

04 They are my friends. 그들은 내 친구들이다.
 → They _____ .

05 The train is fast. 그 기차는 빠르다.
 → The train _____ .

06 These songs are popular in Korea. 이 노래들은 한국에서 인기가 있다.
 → These songs _____ in Korea.

07 Tony is good at baseball. 토니는 야구를 잘한다.
 → Tony _____ at baseball.

08 I am busy today. 나는 오늘 바쁘다.
 → I _____ today.

09 It is my bag. 그것은 나의 가방이다.
 → It _____ .

10 This is a cucumber. 이것은 오이다.
 → This _____ .

11 It is an apple. 그것은 사과다.
 → It _____ .

12 Ted is my classmate. 테드는 나와 같은 반 친구다.
 → Ted _____ .

WORDS
water 물 rich 부유한 song 노래 popular 인기 있는 be good at ~을 잘하다
baseball 야구 bag 가방 cucumber 오이 classmate 같은 반 친구

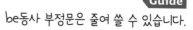

Practice 3

1 다음 주어진 단어를 이용하여 빈칸에 알맞은 말을 쓰세요. (부정문은 축약형으로 쓰세요.)

01 그들은 배우가 아니다. 그들은 가수들이다. (actors / singers)
→ They _____aren't actors_____ . They _____are singers_____ .

02 그것은 오이가 아니다. 그것은 호박이다. (a cucumber / a pumpkin)
→ It _____ . It _____ .

03 나는 의사가 아니다. 나는 간호사다. (a doctor / a nurse)
→ I am _____ . I _____ .

04 우리는 일본사람이 아니다. 우리는 한국사람이다. (Japanese / Korean)
→ We _____ . We _____ .

05 그들은 나의 친구가 아니다. 그들은 나의 사촌들이다. (my friends / my cousins)
→ They _____ . They _____ .

06 그녀는 선생님이 아니다. 그녀는 학생이다. (a teacher / a student)
→ She _____ . She _____ .

07 그는 작가가 아니다. 그는 영화감독이다. (a writer / a movie director)
→ He _____ . He _____ .

08 우리는 슬프지 않다. 우리는 행복하다. (sad / happy)
→ We _____ . We _____ .

09 너는 어리석지 않다. 너는 영리하다. (foolish / smart)
→ You _____ . You _____ .

10 그녀는 나의 여동생이 아니다. 그녀는 나의 친구다. (my sister / my friend)
→ She _____ . She _____ .

11 나의 엄마는 과학자가 아니다. 그녀는 가정주부다. (a scientist / a housewife)
→ My mom _____ . She _____ .

12 너의 친구들은 키가 크지 않다. 그들은 키가 작다. (tall / short)
→ Your friends _____ . They _____ .

WORDS

pumpkin 호박 **cousin** 사촌 **teacher** 선생님 **writer** 작가 **movie director** 영화감독
foolish 어리석은 **scientist** 과학자 **housewife** 가정주부

본문 강의

① 의문문

말하는 사람이 듣는 사람에게 질문하여 그 대답을 얻기 위한 문장을 의문문이라고 합니다. 예를 들어, "너는 일찍 일어난다."는 긍정문이고 상대방에게 대답을 듣기 위한 질문 "너는 일찍 일어나니?"는 의문문입니다.

② 의문문 만들기

be동사가 있는 문장을 의문문으로 만들려면 주어와 be동사의 위치를 바꾸고 문장 끝에 물음표(?)를 붙입니다.

You are a student. 너는 학생이다.

Are you a student? 너는 학생이니?

③ 대답하기

긍정문	의문문	대답하기
I am wrong.	**Am I** wrong? 내가 틀렸니?	Yes, you are. 응, 그래. No, you aren't. 아니, 그렇지 않아.
You are a student.	**Are you** a student? 너는 학생이니?	Yes, I am. 응, 그래. No, I'm not. 아니, 그렇지 않아.
He is a student.	**Is he** a student? 그는 학생이니?	Yes, he is. 응, 그래. No, he isn't. 아니, 그렇지 않아.
It is a book.	**Is it** a book? 그것은 책이니?	Yes, it is. 응, 그래. No, it isn't. 아니, 그렇지 않아.
You are students.	**Are you** students? 너희들은 학생이니?	Yes, we are. 응, 그래. No, we aren't. 아니, 그렇지 않아.
They are students.	**Are they** students? 그들은 학생이니?	Yes, they are. 응, 그래. No, they aren't. 아니, 그렇지 않아.

Tips
- be동사가 있는 의문문은 Yes나 No로 답해야 합니다.
- 의문문은 인칭대명사를 이용해서 대답해야 합니다.
  Is the girl a student?로 질문했을 때에는 Yes, the girl is.나 No, the girl isn't.가 아니고
  Yes, she is.나 No, she isn't.로 대답합니다. (the girl = she)
  Is the horse fast? 그 말은 빠르니? Yes, it is. / No, it isn't. (the horse = it)

Practice 1

Guide
의문문으로 만들려면 주어와 be동사의 위치를 바꾸어 줍니다.

1 다음 문장을 의문문으로 바꿔 쓰세요.

01 You are a cook.
→ _____Are you_____ a cook?

02 She is from China.
→ _____ from China?

03 They are his parents.
→ _____ his parents?

04 The vegetables are fresh.
→ _____ fresh?

05 It is a camel.
→ _____ a camel?

06 He is busy now.
→ _____ busy now?

07 You are famous actors.
→ _____ famous actors?

08 Jimmy is your friend.
→ _____ your friend?

09 Sam and Tony are smart.
→ _____ smart?

10 They are in the classroom.
→ _____ in the classroom?

11 Mike is American.
→ _____ American?

12 They are sleepy.
→ _____ sleepy?

WORDS

cook 요리사 **vegetable** 야채 **camel** 낙타 **busy** 바쁜 **famous** 유명한 **actor** 배우
smart 영리한 **classroom** 교실 **sleepy** 졸린

Practice 2

1 다음 대화의 빈칸에 알맞은 대답을 쓰세요.

01 A: Are they your books?
　　B: Yes, _____they are_____. No, _____they aren't_____.

02 A: Is your sister tall?
　　B: Yes, _____. No, _____.

03 A: Is she from Korea?
　　B: Yes, _____. No, _____.

04 A: Is your brother a student?
　　B: Yes, _____. No, _____.

05 A: Is your father busy now?
　　B: Yes, _____. No, _____.

06 A: Are you a teacher?
　　B: Yes, _____. No, _____.

07 A: Are your friends in the classroom?
　　B: Yes, _____. No, _____.

08 A: Is it a camera?
　　B: Yes, _____. No, _____.

09 A: Are your teachers kind?
　　B: Yes, _____. No, _____.

10 A: Is Mr. Smith your uncle?
　　B: Yes, _____. No, _____.

11 A: Are you famous singers?
　　B: Yes, _____. No, _____.

12 A: Are they delicious?
　　B: Yes, _____. No, _____.

WORDS
tall 키가 큰　**student** 학생　**busy** 바쁜　**teacher** 선생님　**friend** 친구　**camera** 카메라　**kind** 친절한
uncle 삼촌　**singer** 가수　**delicious** 맛있는

Practice 3

Guide
be동사가 있는 의문문은 Yes나 No로 답해야 합니다.

1 다음 대화의 밑줄 친 부분을 바르게 고쳐 쓰세요.

01 A: <u>Are you</u> a student?
    B: Yes, she is.
    → <u>Is</u> <u>she</u>

02 A: <u>Are they</u> lawyers?
    B: No, we aren't.
    → _____ _____

03 A: <u>Are you</u> a cat?
    B: Yes, it is.
    → _____ _____

04 A: <u>Are you</u> tired?
    B: Yes, he is.
    → _____ _____

05 A: Are they delicious?
    B: Yes, <u>you are</u>.
    → _____ _____

06 A: Is your sister in the room?
    B: No, <u>he isn't</u>.
    → _____ _____

07 A: Are your friends tall?
    B: Yes, <u>he is</u>.
    → _____ _____

08 A: <u>Are you</u> doctors?
    B: No, they aren't.
    → _____ _____

09 A: Are your parents busy?
    B: Yes, <u>we are</u>.
    → _____ _____

10 A: Is it a lamp?
    B: No, <u>he isn't</u>.
    → _____ _____

11 A: Is your brother sleepy?
    B: No, <u>it isn't</u>.
    → _____ _____

12 A: Is your computer old?
    B: Yes, <u>he is</u>.
    → _____ _____

WORDS

lawyer 변호사 **tired** 피곤한 **delicious** 맛있는 **room** 방 **doctor** 의사 **parents** 부모 **lamp** 등
sleepy 졸린 **computer** 컴퓨터 **old** 오래된, 낡은

Chapter 08 지시대명사

this / that / these / those를 '지시대명사'라고 하며, 가까이 또는 멀리에 있는 사람·사물·동물 등을 가리킬 때 사용합니다.

this/that의 쓰임

this (이것, 이 사람)	가까이 있는 사람·사물·동물 1개를 가리킬 때	**This** is my teacher. 이분은 나의 선생님이다.
that (저것, 저 사람)	멀리 있는 사람·사물·동물 1개를 가리킬 때	**That** is my house. 저것은 나의 집이다.

② these/those의 쓰임

these (이것들, 이 사람들)	가까이 있는 사람·사물·동물 2개 이상을 가리킬 때	**These** are my books. 이것들은 나의 책들이다.
those (저것들, 저 사람들)	멀리 있는 사람·사물·동물 2개 이상을 가리킬 때	**Those** are my friends. 저 사람들은 나의 친구들이다.

 **Tips** This와 That은 be동사로 is를 사용하고, These 와 Those은 be동사로 are를 사용합니다.

③ 의문문 대답하기

this나 that으로 물으면 it으로 대답하고, these나 those로 물으면 they로 대답합니다.

Is this a camera? 이것은 카메라이니? **Is that** a camera? 저것은 카메라이니?	Yes, **it** is. / No, **it** isn't.
Are these your books? 이것들은 너의 책들이니? **Are those** your books? 저것들은 너의 책들이니?	Yes, **they** are. / No, **they** aren't.

Practice 1

Guide

This와 That은 be동사로 is를, These와 Those는 are를 사용합니다.

1 다음 우리말과 일치하도록 괄호 안에서 알맞은 것을 고르세요.

01 ((This) / That) is my brother.
이 사람은 나의 형이다.

02 (These / Those) are penguins.
저것들은 펭귄이다.

03 (This / That) is a library.
저것은 도서관이다.

04 (These / Those) are his puppies.
이것들은 그의 강아지들이다.

05 (That / Those) is my uncle.
저 사람은 나의 삼촌이다.

06 (This / These) are her friends.
이 사람들은 그녀의 친구들이다.

07 (That / Those) are my classmates.
저 사람들은 나의 반 친구들이다.

08 Is (this / that) your doll?
이것이 너의 인형이니?

09 (Is / Are) those your sisters?
저 사람들이 너의 언니들이니?

10 Are these his (cap / caps)?
이것들이 그의 모자들이니?

11 Is this your (notebook / notebooks)?
이것이 너의 공책이니?

12 Those are my (friend / friends).
저 사람들이 나의 친구들이다.

WORDS

penguin 펭귄　library 도서관　puppy 강아지　classmate 반 친구　doll 인형　cap (야구)모자
notebook 공책

지시대명사는 가까이 또는 멀리에 있는 사람·사물·동물 등을 가리킵니다.

1 다음 우리말과 일치하도록 빈칸에 알맞은 말을 쓰세요.

01 _____This_____ is his room.
이것은 그의 방이다.

02 _____ are my dolls.
이것들은 나의 인형들이다.

03 _____ is my English teacher.
저 사람은 나의 영어 선생님이시다.

04 _____ are her parents.
이 사람들은 그녀의 부모님이시다.

05 _____ are their cars.
저것들은 그들의 자동차들이다.

06 Are _____ your bags?
저것들이 너의 가방들이니?

2 다음 대화의 빈칸에 알맞은 대답을 쓰세요.

01 A: Is that your house?
   B: Yes, _____it is_____ .

02 A: Is this his camera?
   B: No, _____ .

03 A: Are these his gloves?
   B: No, _____ .

04 A: Are those your cats?
   B: Yes, _____ .

WORDS

English 영어   **parents** 부모   **car** 자동차   **bag** 가방   **house** 집   **camera** 카메라   **glove** 장갑

Guide

지시대명사에는 this, that, these, those가 있습니다.

1 다음 우리말과 일치하도록 밑줄 친 부분을 바르게 고치세요.

01 Is <u>this</u> your car? ⟶ _that_
저것이 너의 자동차니?

02 <u>That</u> is a carrot. ⟶ _____
이것은 당근이다.

03 Are <u>that</u> cameras? ⟶ _____
저것들은 카메라니?

04 These <u>isn't</u> my parents. ⟶ _____
이분들은 내 부모님이 아니다.

05 <u>Those</u> are his puppies. ⟶ _____
이것들은 그의 강아지들이다.

06 <u>These</u> are my pants. ⟶ _____
저것들은 나의 바지이다.

07 <u>Is</u> those your pencils? ⟶ _____
저것들은 너의 연필들이니?

08 Is that his <u>computers</u>? ⟶ _____
저것은 그의 컴퓨터니?

09 These <u>isn't</u> her balls. ⟶ _____
이것들은 그녀의 공들이 아니다.

10 <u>That</u> are my shoes. ⟶ _____
저것들은 나의 신발들이다.

11 These <u>is</u> my socks. ⟶ _____
이것들은 나의 양말이다.

12 These are his <u>flower</u>. ⟶ _____
이것들은 그의 꽃들이다.

WORDS

carrot 당근　**camera** 카메라　**parents** 부모　**pants** 바지　**pencil** 연필　**computer** 컴퓨터
ball 공　**shoe** 신발　**sock** 양말　**flower** 꽃

공부한 날 :   부모님 확인 :

01〉 다음 중 형용사가 <u>아닌</u> 것을 고르세요.

① old
② green
③ sad
④ long
⑤ potato

【02~03】 다음 중 그림을 보고 빈칸에 알맞은 것을 고르세요.

02〉

Sam is _____ now.

① old   ② angry
③ sad   ④ long
⑤ hungry

03〉

He has a _____ piano.

① tall   ② green
③ brown   ④ dirty
⑤ square

【04~06】 다음 그림을 보고 보기에서 알맞은 말을 골라 빈칸에 쓰세요.

red	round	old

04〉

_____ shoes

05〉

a _____ table

06〉

a _____ car

07〉 다음 우리말과 영어가 바르게 연결되지 <u>않은</u> 것을 고르세요.

① a small house - 작은 집
② fresh vegetables - 신선한 야채
③ a pretty doll - 예쁜 인형
④ a famous singer - 잘생긴 가수
⑤ a yellow umbrella - 노란 우산

【08~10】 다음 문장을 부정문으로 쓰세요.

08> She is happy.

→ She _____ .

09> They are my friends.

→ They _____ .

10> Ted is a good student.

→ Ted _____ .

【11~12】 다음 우리말과 일치하도록 빈칸에 알맞은 말을 쓰세요. (부정문은 축약형으로 쓰세요.)

11>
그것은 오이가 아니다.
그것은 호박이다.
(a cucumber / a pumpkin)

→ It _____ .

It _____ .

12>
그들은 경찰이 아니다.
그들은 소방관이다.
(police officers / firefighters)

→ They _____ .

They _____ .

【13~15】 다음 중 대화의 빈칸에 알맞은 대답을 고르세요.

13>
A: Are they your books?
B: Yes, _____ .

① it is   ② you are
③ he is   ④ we are
⑤ they are

14>
A: Is your bother a student?
B: No, _____ .

① it isn't   ② you aren't
③ he isn't   ④ she isn't
⑤ they aren't

15>
A: Are your friends in the classroom?
B: No, _____ .

① it isn't   ② you aren't
③ he isn't   ④ she isn't
⑤ they aren't

【16~18】 다음 문장을 의문문으로 바꿔 쓰세요.

16> Sam and Tony are students.

→ _____ ?

17> She is from China.

→ _____ ?

18> They are your parents.

→ _____ ?

19> 다음 대화의 빈칸에 알맞은 말을 쓰세요.

A: Is your father a dentist?
B: Yes, _____.

→ _____

【20~22】 다음 우리말과 일치하도록 빈칸에 알맞은 말을 쓰세요.

20>

저것은 나의 집이다.

→ _____ is my house.

21>

이것들은 나의 양말이다.

→ _____ are my socks.

22>

저것들은 얼룩말들이다.

→ _____ are zebras.

【23~24】 다음 중 대화의 빈칸에 알맞은 것을 고르세요.

23>

A: Are those your books?
B: No, _____.

① it isn't   ② you aren't
③ he isn't   ④ she isn't
⑤ they aren't

24>

A: Is this your cat?
B: Yes, _____.

① it is
② you are
③ I am
④ we are
⑤ they are

25> 다음 중 <u>어색한</u> 문장을 고르세요.

① They are not my parents.
② The box isn't heavy.
③ Those are my friends.
④ This is a computer.
⑤ These is my toys.

【26~28】 다음 우리말과 일치하도록 밑줄 친 부분을 바르게 고치세요.

26>

Is <u>this</u> your car? → _____
저것이 당신의 자동차인가요?

27>

That is a carrot. → _____
이것은 당근이다.

28>

Are <u>that</u> your dogs? → _____
저것들은 너의 개들이니?

【29~30】 다음 우리말과 일치하도록 주어진 단어들을 순서에 맞게 배열하세요.

29>

are   his   these   toys
이것들은 그의 장난감들이다.

_____

30>

they   friends   aren't   my
그들은 나의 친구들이 아니다.

Chapter 09 일반동사

본문 강의

 일반동사의 의미와 쓰임

동사는 be동사(am/are/is)와 일반동사로 나누어지며, 일반동사는 주어의 동작이나 상태를 나타내는 역할을 합니다.

1 동작을 나타내는 동사 – 동작동사는 말 그대로 어떤 행위를 하는 것입니다.

| 동작을
나타내는 동사 | run 뛰다
sing 노래하다
read 읽다
speak 말하다
watch 보다
clean 청소하다 | |

2 상태를 나타내는 동사 – 상태동사란 행위보다는 상태나 감정 등을 나타냅니다.

| 상태를
나타내는 동사 | like 좋아하다
love 사랑하다
think 생각하다
understand 이해하다
know 알다
need 필요하다 | |

 동사원형

동사원형이란 동사의 모양이 변하지 않는 것을 말합니다. 주어가 I/You/They/We/복수명사이며 현재를 나타내는 동사일 경우 동사원형을 사용합니다.

주어	동사(현재형)
I / We (1인칭 단수/복수)	I **drink** milk. 나는 우유를 마신다. We **play** soccer. 우리는 축구를 한다.
You (2인칭 단수/복수)	You **play** the violin. 너는 바이올린을 연주한다.
They / My friends (3인칭 복수)	They **like** apples. 그들은 사과를 좋아한다. My friends **study** English. 내 친구들은 영어를 공부한다.

Tips 동사원형이란 동사의 뒤에 -(e)s, -(e)d, -ing 등을 붙이지 않은 동사의 원래 모습을 말합니다.

1 다음 문장에서 동사에 동그라미 하고, 그 뜻을 쓰세요.

01 I (eat) breakfast at 7. ⟶ 먹다

02 I play computer games. ⟶ _____

03 They go to the beach after school. ⟶ _____

04 You drink coffee. ⟶ _____

05 My friends like fruits. ⟶ _____

06 We learn English. ⟶ _____

07 They clean the room. ⟶ _____

08 I live in Korea. ⟶ _____

09 Ted and I sing a song together. ⟶ _____

10 I wash the dishes. ⟶ _____

11 We work at a bank. ⟶ _____

12 They run fast. ⟶ _____

WORDS

breakfast 아침식사 **computer** 컴퓨터 **beach** 해변 **learn** 배우다 **clean** 청소하다 **song** 노래
together 함께 **wash the dishes** 설거지하다 **bank** 은행 **fast** 빠르게

1 다음 보기의 단어를 이용하여 빈칸에 알맞은 말을 쓰세요.

| go | sleep | learn | drink | swim |
| want | help | play | make | watch |

01 I _____go_____ to school every day.
나는 매일 학교에 간다.

02 They _____ Chinese.
그들은 중국어를 배운다.

03 We _____ milk in the morning.
우리는 아침에 우유를 마신다.

04 They _____ baseball every Sunday.
그들은 매주 일요일 야구를 한다.

05 I _____ a new computer.
나는 새 컴퓨터를 원한다.

06 Tony and Cindy _____ cookies.
토니와 신디가 쿠키를 만든다.

07 We _____ in the river.
우리는 강에서 수영을 한다.

08 They _____ a movie.
그들은 영화를 본다.

09 I _____ my mom.
나는 엄마를 돕는다.

10 They _____ on the sofa.
그들은 소파에서 잠을 잔다.

WORDS
help 돕다 **every day** 매일 **Chinese** 중국어 **baseball** 야구 **river** 강 **movie** 영화 **sofa** 소파

주어가 I/You/They/We/복수명사이며 현재시제이면 동사원형을 사용합니다.

1 다음 우리말과 일치하도록 주어진 단어를 알맞게 배열하세요.

01 그들은 매일 우유를 마신다. (milk / they / drink)
→ _____ They drink milk _____ every day.

02 그 말들은 당근을 좋아한다. (like / carrots / the horses)
→ _____

03 우리는 7시에 저녁식사를 한다. (eat / we / dinner)
→ _____ at 7.

04 우리는 방과 후 책을 읽는다. (books / read / we)
→ _____ after school.

05 그들은 컴퓨터를 가지고 있다. (have / they / a computer)
→ _____

06 나의 친구들은 매일 박물관을 방문한다. (the museum / my friends / visit)
→ _____ every day.

07 우리는 피자를 좋아한다. (like / pizza / we)
→ _____

08 케빈과 나는 영어를 배운다. (English / learn / Kevin and I)
→ _____

09 그들은 긴 꼬리를 가지고 있다. (have / they / a long tail)
→ _____

10 그 소녀들은 자전거를 탄다. (the girls / bicycles / ride)
→ _____

11 우리는 캐럴을 부른다. (carols / we / sing)
→ _____

12 나는 가난한 사람을 돕는다. (help / I / poor people)
→ _____

WORDS

drink 마시다　carrot 당근　horse 말　dinner 저녁식사　museum 박물관　tail 꼬리
bicycle 자전거　ride 타다　carol 캐럴　poor 가난한　people 사람들

본문 강의

① **일반동사의 변화**

주어가 3인칭 단수(He/She/It/Mike/My mom)이고 시제가 현재일 때 동사원형에 -s나 -es를 붙입니다.

I **like** pizza. 나는 피자를 좋아한다.	He **likes** pizza. 그는 피자를 좋아한다.
We **play** baseball. 우리는 야구를 한다.	Mike **plays** baseball. 마이크는 야구를 한다.

> **Tips** 3인칭 단수 주어란 1·2인칭을 제외하고 주어가 사람 1명, 사물 1개, 동물 1마리 등을 나타내는 모든 명사와 대명사일 때 3인칭 단수
> 주어라 부릅니다. 예 He, She, It, The boy, My brother, A cat, This dog 등

② **일반동사의 3인칭 단수 현재형 만들기**

대부분의 경우	동사원형의 끝에 -s를 붙입니다.	come → comes 오다 eat → eats 먹다 read → reads 읽다 walk → walks 걷다
[자음+y]로 끝나는 경우	y를 i로 바꾸고 -es를 붙입니다.	study → studies 공부하다 worry → worries 걱정하다 cry → cries 울다 try → tries 노력하다
[모음+y]로 끝나는 경우 ↳ a, e, i, o, u	동사원형의 끝에 -s만 붙입니다.	play → plays 놀다, 연주하다 buy → buys 사다 enjoy → enjoys 즐기다 pay → pays 지불하다
-o/-x/-s/-sh/-ch로 끝나는 경우	동사원형의 끝에 -es를 붙입니다.	go → goes 가다 pass → passes 통과하다 wash → washes 씻다 catch → catches 잡다 fix → fixes 고치다

> **Tips** have의 3인칭 단수형은 haves가 아닌 has입니다.
> I have a cat. 나는 고양이가 있다. / He has a cat. 그는 고양이가 있다.

Practice 1

1 다음 괄호 안에서 알맞은 것을 고르세요.

01 My sister (like / (likes)) pizza.
나의 여동생은 피자를 좋아한다.

02 He (have / has) a new computer.
그는 새 컴퓨터가 있다.

03 She (meets / meet) him every day.
그녀는 그를 매일 만난다.

04 My mom (drinks / drinkes) coffee in the morning.
나의 엄마는 아침에 커피를 마신다.

05 They (play / plays) computer games after school.
그들은 방과 후에 컴퓨터 게임을 한다.

06 He (watchs / watches) TV.
그는 TV를 본다.

07 The baby (crys / cries) at night.
그 아기는 밤에 운다.

08 Jane (walks / walkes) her dog in the afternoon.
제인은 오후에 그녀의 개를 산책시킨다.

09 Kevin (go / goes) to school by bus.
케빈은 버스 타고 학교에 간다.

10 He (washs / washes) the dishes.
그는 설거지를 한다.

11 My mom (work / works) at a bank.
나의 엄마는 은행에서 일하신다.

12 Susie (do / does) her homework after school.
수지는 방과 후 숙제를 한다.

WORDS

new 새로운　**meet** 만나다　**in the morning** 아침에　**after school** 방과 후에　**at night** 밤에
walk 산책시키다　**afternoon** 오후　**by bus** 버스로　**bank** 은행　**homework** 숙제

일반동사의 3인칭 단수형은 동사에 따라 다르게 변합니다.

1 다음 보기의 단어를 이용하여 문장을 완성하세요. (필요하면 동사를 변형하세요.)

want	fix	brush	read	live
eat	have	fly	study	run

01 She ____wants____ some apples.
그녀는 사과를 좀 원한다.

02 The man _____ the computer.
그 남자는 컴퓨터를 수리한다.

03 He _____ very fast.
그는 매우 빨리 달린다.

04 My dad _____ the newspaper every day.
나의 아빠는 매일 신문을 읽으신다.

05 Tom _____ in Busan.
톰은 부산에 산다.

06 My brother _____ English every day.
내 남동생은 매일 영어공부를 한다.

07 Tony _____ his teeth in the morning.
토니는 아침에 이를 닦는다.

08 Kevin _____ lunch at noon.
케빈은 정오에 점심을 먹는다.

09 The dog _____ a long tail.
그 개는 긴 꼬리를 가지고 있다.

10 A bird _____ in the sky.
새가 하늘에서 난다.

WORDS

fix 고치다 **read** 읽다 **newspaper** 신문 **live** 살다 **study** 공부하다 **teeth** 치아들(tooth의 복수형)

lunch 점심식사 **at noon** 정오에 **tail** 꼬리 **bird** 새 **sky** 하늘

주어가 3인칭 단수형일 때 현재형 문장에서는 동사원형에 –s나 –es를 붙입니다.

1 다음 주어진 단어를 괄호 안에 현재형으로 쓰세요.

01 **help** → She ___helps___ the poor people.
We ___help___ the poor people.

02 **play** → My friends _____ baseball on Sunday.
He _____ baseball on Sunday.

03 **enjoy** → We _____ reading.
Alice _____ reading.

04 **have** → My brother _____ lunch at home.
My brothers _____ lunch at home.

05 **go** → The boy _____ to the park every day.
The boys _____ to the park every day.

06 **listen** → She _____ to the radio.
They _____ to the radio.

07 **fly** → The birds _____ in the sky.
The bird _____ in the sky.

08 **go** → I _____ shopping every weekend.
David _____ shopping every weekend.

09 **write** → He _____ a letter to his parents.
They _____ a letter to their parents.

10 **stay** → My sisters _____ at home on Sunday.
My dad _____ at home on Sunday.

11 **like** → Sam and I _____ watching TV.
Sam _____ watching TV.

12 **fix** → The boy _____ my bicycle.
The boys _____ my bicycle.

WORDS

poor 가난한 **people** 사람들 **baseball** 야구 **Sunday** 일요일 **at home** 집에 **park** 공원
radio 라디오 **sky** 하늘 **weekend** 주말 **letter** 편지 **parents** 부모 **bicycle** 자전거

Chapter 11

일반동사 부정문

① 일반동사 부정문 만들기

be동사의 부정문과 달리 일반동사가 있는 문장의 부정문을 만들 때에는 do not이나 does not를 이용하며 '~하지 않는다'라고 해석합니다.

문장의 동사가 원형일 때는 동사 앞에 do not[= don't]을 쓰고, 동사에 -(e)s가 붙어 있을 때는 동사의 앞에 does not[= doesn't]을 씁니다. 이때 동사는 반드시 동사원형으로 써야 합니다. do not은 don't로, does not은 doesn't로 줄여 쓸 수 있습니다.

② don't[do not]을 사용하는 경우

I / You / We	don't + 동사원형 ~.
They	
주어가 복수명사(The boys 등)	

I **drink** coffee. 나는 커피를 마신다.
→ I **don't[do not] drink** coffee. 나는 커피를 마시지 않는다.

My friends **learn** Chinese. 내 친구들은 중국어를 배운다.
→ My friends **don't[do not] learn** Chinese. 내 친구들은 중국어를 배우지 않는다.

③ doesn't[does not]을 사용하는 경우 – 주어가 3인칭 단수일 때

She / He / It	doesn't + 동사원형 ~.
주어가 단수명사(Mike, The car 등)	

He **has** a computer. 그는 컴퓨터를 가지고 있다.
→ He **doesn't[does not] have** a computer. 그는 컴퓨터가 없다.
　　　　　　　　　　　　　　　　※동사원형 have를 써야 합니다.
Kevin **likes** apples. 케빈은 사과를 좋아한다.
→ Kevin **doesn't[does not] like** apples. 케빈은 사과를 좋아하지 않는다.

1 다음 우리말과 일치하도록 빈칸에 알맞은 말을 쓰세요.

01 I _____don't_____ like apples.
나는 사과를 좋아하지 않는다.

02 My dad _____ listen to the radio.
나의 아빠는 라디오를 듣지 않으신다.

03 Kevin _____ learn English.
케빈은 영어를 배우지 않는다.

04 We _____ swim in the river.
우리는 강에서 수영하지 않는다.

05 He and I _____ drink coffee.
그와 나는 커피를 마시지 않는다.

06 My sisters _____ like carrots.
내 여동생들은 당근을 싫어한다.

07 Donovan _____ wear glasses.
도노반은 안경을 쓰지 않는다.

08 The students _____ learn Chinese.
그 학생들은 중국어를 배우지 않는다.

09 We _____ work at a museum.
우리는 박물관에서 일하지 않는다.

10 She _____ wash the dishes.
그녀는 설거지를 하지 않는다.

11 They _____ live in Seoul.
그들은 서울에 살지 않는다.

12 You _____ love him.
너는 그를 사랑하지 않는다.

WORDS

listen to the radio 라디오를 듣다　learn 배우다　river 강　coffee 커피　carrot 당근
glasses 안경　Chinese 중국어　museum 박물관　live 살다　love 사랑하다

Practice 2

Guide

don't이나 doesn't 다음에 동사는 동사원형으로 써야 합니다.

1 다음 문장을 부정문으로 바꿔 쓰세요.

01 Tony likes vegetables.

→ Tony ___doesn't like vegetables___ .

02 She takes a walk.

→ She _____ .

03 It runs fast.

→ It _____ .

04 She and I learn Chinese.

→ She and I _____ .

05 He has a sister.

→ He _____ .

2 다음 밑줄 친 부분을 바르게 고치세요.

01 He <u>do not</u> talk to his sister. → ___doesn't / does not___

02 My brother <u>do not</u> ride a bicycle. → _____

03 Cindy doesn't <u>meets</u> her friends. → _____

04 I <u>doesn't</u> get up early. → _____

05 Kevin doesn't <u>has</u> a yellow bag. → _____

WORDS

vegetable 야채　**take a walk** 산책하다　**Chinese** 중국어　**talk** 말하다　**ride** 타다　**meet** 만나다
get up 일어나다　**early** 일찍　**yellow** 노란

일반동사 부정문을 만들 때 동사의 앞에 don't나 doesn't를 씁니다.

1 다음 우리말과 일치하도록 보기의 단어를 이용하여 문장을 완성하세요. (축약형으로 쓰세요.)

> go eat use play have
> like watch sleep know get up

01 He _____doesn't go_____ to the museum.
그는 박물관에 가지 않는다.

02 The girl _____ a sister.
그 소녀는 언니가 없다.

03 We _____ meat.
우리는 고기를 먹지 않는다.

04 Susie _____ early.
수지는 일찍 일어나지 않는다.

05 He _____ a dictionary.
그는 사전을 사용하지 않는다.

06 My friends _____ computer games.
내 친구들은 컴퓨터 게임을 하지 않는다.

07 Mary _____ on the sofa.
메리는 소파에서 자지 않는다.

08 My parents _____ spaghetti.
나의 부모님은 스파게티를 좋아하지 않으신다.

09 Mr. Smith _____ TV.
스미스 씨는 TV를 보지 않는다.

10 I _____ her name.
나는 그녀의 이름을 모른다.

WORDS

sleep 자다 know 알다 museum 박물관 meat 고기 dictionary 사전
computer game 컴퓨터 게임 spaghetti 스파게티 name 이름

12 일반동사 의문문

본문 강의

① 일반동사 의문문 만들기

be동사가 있는 문장을 의문문으로 만들 때에는 be동사를 문장 앞으로 보냈지만 일반동사가 있는 문장을 의문문으로 만들 때에는 Do나 Does를 문장 맨 앞에 쓰고 문장 끝에 물음표(?)를 붙입니다.

1 Do를 붙이는 경우 – 주어가 1인칭·2인칭 또는 복수일 때

Do	I / you / we	+ 동사원형 ~ ?
	they / 복수명사(my friends 등)	

You live in Seoul. 너는 서울에 산다.
→ **Do** you **live** in Seoul? 너는 서울에 사니?

They like vegetables. 그들은 야채를 좋아한다.
→ **Do** they **like** vegetables? 그들은 야채를 좋아하니?

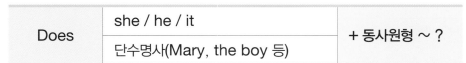

2 Does를 붙이는 경우 – 주어가 3인칭 단수일 때

Does	she / he / it	+ 동사원형 ~ ?
	단수명사(Mary, the boy 등)	

He has a computer. 그는 컴퓨터가 있다.
→ **Does** he **have** a computer? 그는 컴퓨터가 있니?
※ has의 동사원형은 have입니다.
Kevin plays the guitar. 케빈은 기타를 연주한다.
→ **Does** Kevin **play** the guitar? 케빈은 기타를 연주하니?

> **Tips** 문장의 동사가 원형일 때는 주어의 앞에 Do를 쓰고, 동사에 -(e)s가 붙어 있을 때는 주어의 앞에 Does를 쓴 뒤, 문장의 끝에 물음표를 붙여줍니다. 이때 일반동사는 반드시 동사원형으로 써야 합니다.

② 일반동사 의문문 대답하기

· 긍정이면 Yes를, 부정이면 No를 사용합니다.
· 긍정이면 do나 does, 부정이면 don't나 doesn't를 사용합니다.
· Do로 시작하면 대답도 do나 don't를 사용하고, Does로 시작하면 does나 doesn't를 사용합니다.

1 Do로 물을 때 답하기

Do you like apples? 너는 사과를 좋아하니?		Yes, I **do**. 응, 그래.	No, I **don't**. 아니, 그렇지 않아.
Do they like apples? 그들은 사과를 좋아하니?		Yes, they **do**. 응, 그래.	No, they **don't**. 아니, 그렇지 않아.

| Do you like apples? (상대가 2명 이상)
너희들은 사과를 좋아하니? | Yes, we **do**.
응, 그래. | No, we **don't**.
아니, 그렇지 않아. |
| Do your friends play baseball?
네 친구들은 야구를 하니? | Yes, they **do**.
응, 그래. | No, they **don't**.
아니, 그렇지 않아. |

2 Does로 물을 때 답하기

Does she/he like vegetables? 그녀/그는 야채를 좋아하니?	Yes, she/he **does**. 응, 그래.	No, she/he **doesn't**. 아니, 그렇지 않아.
Does your mom work at a bank? 네 엄마는 은행에서 일하시니?	Yes, she **does**. 응, 그래.	No, she **doesn't**. 아니, 그렇지 않아.
Does it like carrots? 그것은 당근을 좋아하니?	Yes, it **does**. 응, 그래.	No, it **doesn't**. 아니, 그렇지 않아.

Tips 대답을 할 때에는 반드시 인칭대명사를 사용해야 합니다.
Does your brother like vegetables? Yes, he does. / No, he doesn't. (your brother = he)

Practice 1

Guide
일반동사가 있는 문장을 의문문으로 만들 때에는 Do나 Does를 문장 맨 앞에 씁니다.

1 다음 문장을 의문문으로 만들 때 빈칸에 알맞은 표현을 쓰세요.

01 You like tropical fruits.

→ ___Do___ you ___like___ tropical fruits?

02 She studies math.

→ _____ she _____ math?

03 They learn English.

→ _____ they _____ English?

04 He teaches Chinese.

→ _____ he _____ Chinese?

05 Mary plays the piano.

→ _____ Mary _____ the piano?

WORDS

tropical 열대의 **fruit** 과일 **math** 수학 **learn** 배우다 **teach** 가르치다 **Chinese** 중국어
play the piano 피아노를 연주하다

1 다음 문장을 의문문으로 바꿔 쓰세요.

01 It has a short tail.

→ _____ Does it have a short tail? _____

02 They speak Korean.

→ _____

03 Jane washes the dishes.

→ _____

04 Your brothers play basketball.

→ _____

05 The girl needs a towel.

→ _____

2 다음 밑줄 친 부분을 바르게 고쳐 쓰세요.

01 <u>Do</u> your uncle speak English? ⟶ _____ Does _____

02 <u>Does</u> the girls learn Chinese? ⟶ _____

03 Does it <u>has</u> a long nose? ⟶ _____

04 A: Does the boy like strawberries?
   B: Yes, <u>it</u> does. ⟶ _____

05 A: Does your sister go to high school?
   B: No, she <u>don't</u>. ⟶ _____

WORDS

short 짧은 **speak** 말하다 **basketball** 농구 **need** 필요하다 **towel** 수건 **girl** 소녀 **learn** 배우다
nose 코 **strawberry** 딸기 **high school** 고등학교

1 다음 빈칸에 알맞은 대답을 쓰세요.

01 **Does she have a camera?**
그녀는 카메라가 있니?

Yes, ___she does___ .

02 **Do they learn math?**
그들은 수학을 배우니?

Yes, _____ .

03 **Do they speak English?**
그들은 영어로 말하니?

No, _____ .

04 **Do your friends play baseball?**
네 친구들은 야구를 하니?

No, _____ .

05 **Does your mom go to the market every day?**
너의 엄마는 매일 시장에 가시니?

No, _____ .

06 **Do you need a cellular phone?**
너는 휴대전화가 필요하니?

Yes, _____ .

07 **Does she live in Canada?**
그녀는 캐나다에 사니?

No, _____ .

08 **Does your brother like apples?**
너의 남동생은 사과를 좋아하니?

Yes, _____ .

09 **Does Mary listen to music every day?**
메리는 매일 음악을 듣니?

Yes, _____ .

10 **Does her mom work at a library?**
그녀의 엄마는 도서관에서 일하시니?

No, _____ .

11 **Does Mr. Jason teach history?**
제이슨 선생님이 역사를 가르치시니?

Yes, _____ .

12 **Do your classmates like English?**
너의 반 친구들은 영어를 좋아하니?

Yes, _____ .

WORDS

camera 카메라 **baseball** 야구 **market** 시장 **every day** 매일 **cellular phone** 휴대전화
live 살다 **listen** 듣다 **music** 음악 **library** 도서관 **history** 역사 **classmates** 반 친구

공부한 날 :　　　　　　　부모님 확인 :

01> 다음 중 동사가 <u>아닌</u> 것을 고르세요.

① watch　　　② read
③ study　　　④ long
⑤ eat

02> 다음 중 동사와 의미가 바르게 연결되지 <u>않은</u> 것을 고르세요.

① learn - 배우다　　② sing - 노래하다
③ work - 걷다　　　④ run - 달리다
⑤ make - 만들다

【03~05】 다음 그림을 보고 빈칸에 알맞은 말을 보기에서 골라 쓰세요.

watch	drink	play

03>

→ They _____ milk.

04>

→ We _____ soccer.

05>

→ I _____ TV.

06> 다음 동사의 3인칭 단수형이 바르게 연결되지 <u>않은</u> 것을 고르세요.

① learn - learns
② cry - crys
③ work - works
④ play - plays
⑤ go - goes

07> 다음 중 보기의 빈칸에 들어갈 수 <u>없는</u> 말을 고르세요.

Mike _____ apples.

① likes　　　② have
③ eats　　　④ buys
⑤ wants

08> 다음 중 <u>어색한</u> 문장을 고르세요.

① She likes apples.
② They learns English.
③ She plays computer games.
④ He goes to school by bus.
⑤ My sister washes the dishes.

【09~11】 다음 그림을 보고 빈칸에 알맞은 말을 보기에서 골라 쓰세요. (필요하면 동사를 변형하세요)

study	have	cry

09›

→ The baby _____ at night.

10›

→ Ted _____ a computer.

11›

→ Kevin _____ English.

12› 다음 중 우리말을 영어로 바르게 쓴 것을 고르세요.

우리는 독서하는 것을 즐기지 않는다.

① They don't enjoy reading.
② They enjoys reading.
③ We don't enjoy reading.
④ We enjoys reading.
⑤ We doesn't enjoy reading.

【13~16】 다음 문장을 부정문으로 쓰세요.

13›

I like apples.

→ I _____ .

14›

My sister plays computer games.

→ My sister _____

_____ .

15›

He has a car.

→ He _____ .

16›

Sam and Tony learn English.

→ Sam and Tony _____

_____ .

17› 다음 중 부정문을 만들 때 빈칸에 들어갈 말이 <u>다른</u> 것을 고르세요.

① They _____ like reading.
② We _____ like reading.
③ Cathy and Tom _____ like reading.
④ He _____ like reading.
⑤ My friends _____ like reading.

【18~20】 다음 밑줄 친 부분을 바르게 고쳐 다시 쓰세요.

18>

He <u>don't</u> play soccer.

→ He _____ .

19>

My brother <u>don't</u> ride a bicycle.

→ My brother _____ .

20>

Cindy doesn't <u>has</u> a watch.

→ Cindy _____ .

【21~22】 다음 대화의 빈칸에 알맞은 말을 쓰세요.

21>

A: Do you learn English?

B: Yes, _____ .

22>

A: Does she live in London?

B: No, _____ .

23> 다음 중 빈칸에 들어갈 말이 <u>다른</u> 것을 고르세요.

① _____ they like reading?
② _____ you like apples?
③ _____ your sister drink milk?
④ _____ your friends play soccer?
⑤ _____ your parents watch TV?

【24~26】 다음 문장을 의문문과 부정문으로 바꿔 쓰세요.

24>

You like roses.

의문문 _____

부정문 _____

25>

He studies science.

의문문 _____

부정문 _____

26>

Kevin takes a bath.

의문문 _____

부정문 _____

【27~28】 다음 보기 단어들을 알맞게 배열하세요.

27>

| like | spaghetti | my |
| parents | | don't |

→ _____

_____

28>

| do | clean | the classroom |
| the students | | ? |

→ _____

_____

29> 다음 그림을 보고 빈칸에 알맞은 말을 쓰세요.

A: _____ your sister play the guitar?

B: _____
She plays the piano.

A: _____

B: _____

30> 다음 우리말과 일치하도록 빈칸에 알맞은 말을 쓰세요.

제인은 부산에 산다.

→ Jane _____ in Busan.

3인칭 주어
동사원형 -(e)s

본문 강의

1 can의 의미와 형태

1 긍정문

can은 '~할 수 있다' 또는 '~할 줄 알다'라는 뜻으로 능력이나 가능을 나타낼 때 사용하며, can 다음에 반드시 동사원형이 와야 합니다.

I speak English. 나는 영어로 말한다.
I can speak English. 나는 영어로 말할 수 있다.

2 부정문

cannot은 '~할 수 없다'라는 의미를 나타낼 때 사용하며, cannot 다음에 반드시 동사원형이 와야 합니다. can 뒤에 not을 붙여 cannot의 형태로 쓰고, can't로 줄여 쓸 수 있습니다.

Mary **can play** the guitar. 메리는 기타를 연주할 수 있다.
Mary **cannot[can't] play** the guitar. 메리는 기타를 연주할 수 없다.

> **Tips** can이나 can't는 주어의 수나 인칭에 상관없이 같은 형태로 사용합니다.
>
> | I / He / She / They / We / It
나/ 그 / 그녀 /그(것)들/ 우리 / 그것 | can run fast. 빨리 달릴 수 있다. |
> | --- | --- |
> | | can't run fast. 빨리 달릴 수 없다. |

2 can을 이용한 의문문

'~할 수 있니?'라고 물을 때 사용하며, can을 주어 앞으로 보내고 문장 끝에 물음표를 붙입니다. 의문문을 만들 때에도 동사는 반드시 원형으로 써야 합니다.

Can you **speak** English? 너는 영어로 말할 수 있니?
Can he **play** the guitar? 그는 기타를 연주할 수 있니?

3 대답하기

질문	긍정의 대답 (응, 할 수 있어.)	부정의 대답 (아니, 할 수 없어.)
Can you **speak** English? 너는 영어로 말할 수 있니? **Can** your brother **read**? 네 남동생은 읽을 수 있니?	Yes, I **can.** Yes, he **can.**	No, I **can't.** No, he **can't.**

> **Tips**
> • 질문의 주어가 명사(your brother)라도 대답은 대명사(he)로 합니다.
> • can은 허락을 구하거나 부탁을 할 때에도 사용합니다.
>   Can I ask a question? 질문 하나 해도 돼요?

can은 '~할 수 있다', cannot은 '~할 수 없다'라는 의미입니다.

1 다음 우리말과 일치하도록 주어진 단어를 이용하여 빈칸에 알맞은 표현을 쓰세요.

01 우리는 중국어를 말할 수 없다. (speak)
→ We ____can't____ ____speak____ Chinese.

02 그녀는 회의에 참석할 수 있다. (attend)
→ She _____ _____ the meeting.

03 그는 지금 집에 갈 수 없다. (go)
→ He _____ _____ home now.

04 케빈은 기타를 칠 수 없다. (play)
→ Kevin _____ _____ the guitar.

05 나는 그것을 읽을 수 없다. (read)
→ I _____ _____ it.

06 나의 친구들은 경주에 참가할 수 없다. (participate)
→ My friends _____ _____ in the race.

07 우리는 자전거를 탈 수 없다. (ride)
→ We _____ _____ a bicycle.

08 그 강아지는 빠르게 달릴 수 없다. (run)
→ The puppy _____ _____ fast.

09 내 남동생은 설거지를 할 수 있다. (wash)
→ My brother _____ _____ the dishes.

10 나의 아빠는 높게 점프할 수 있다. (jump)
→ My dad _____ _____ high.

11 나는 그 컴퓨터를 고칠 수 없다. (fix)
→ I _____ _____ the computer.

12 우리는 그것을 믿을 수가 없다. (believe)
→ We _____ _____ it.

WORDS

speak 말하다 **attend** 참석하다 **meeting** 미팅, 회의 **guitar** 기타 **participate** 참가하다 **race** 경주
puppy 강아지 **jump** 점프하다 **fix** 고치다 **believe** 믿다

Practice 2

can을 이용한 의문문은 can으로 답해야 합니다.

1 다음 주어진 단어와 can/can't를 이용하여 대화의 빈칸에 알맞은 말을 쓰세요.

01 A: _____Can_____ your dad _____ride_____ a horse? (ride)

　 B: Yes, _____he_____ can.

02 A: Can you _____ the dishes? (wash)

　 B: No, I _____ .

03 A: _____ your sister _____ tennis? (play)

　 B: No, _____ _____ .

04 A: _____ your friends _____ Chinese? (understand)

　 B: No, _____ can't.

05 A: _____ your dog _____ fast? (run)

　 B: Yes, _____ _____ .

06 A: _____ your uncle _____ the bicycle? (fix)

　 B: No, he _____ .

07 A: Can you _____ to the party? (come)

　 B: Yes, _____ _____ .

08 A: Can your friends _____ English? (speak)

　 B: Yes, _____ _____ .

09 A: Can she _____ the flute? (play)

　 B: Yes, _____ _____ .

10 A: _____ Mike _____ Korean? (read)

　 B: _____ , he can.

WORDS

ride 타다　**horse** 말　**wash** 닦다　**tennis** 테니스　**understand** 이해하다　**run** 달리다　**uncle** 삼촌

fix 고치다　**party** 파티　**come** 오다　**flute** 플루트　**Korean** 한국어

Practice 3

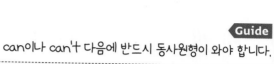

1 다음 우리말과 일치하도록 주어진 단어를 배열하세요.

01 나는 기타를 연주할 수 있다. (can / the guitar / play)
→ I _____can play the guitar_____ .

02 그는 버스를 운전할 수 있다. (drive / can / a bus)
→ He _____ .

03 그녀는 프랑스어로 말할 수 있다. (French / speak / can)
→ She _____ .

04 그들은 바다에서 수영할 수 있다. (can / in the sea / swim)
→ They _____ .

05 나의 여동생은 너를 도와줄 수 있다. (you / help / can)
→ My sister _____ .

06 나는 그 질문에 대답할 수 없다. (answer / cannot / the question)
→ I _____ .

07 제인은 그 상자를 옮길 수 있다. (can / the box / move)
→ Jane _____ .

08 나의 남동생은 그것을 읽을 수 없다. (it / cannot / read)
→ My brother _____ .

09 그들은 빨리 달릴 수 없다. (fast / run / can't)
→ They _____ .

10 우리는 그 자동차를 살 수 있다. (buy / the car / can)
→ We _____ .

11 그녀는 지금 요리할 수 없다. (now / cook / cannot)
→ She _____ .

12 그는 야채를 먹을 수 없다. (vegetables / can't / eat)
→ He _____ .

WORDS

guitar 기타 **drive** 운전하다 **French** 프랑스어 **answer** 대답하다 **question** 질문 **move** 옮기다
buy 사다 **cook** 요리하다 **vegetable** 야채 **eat** 먹다

 **Chapter 14** **be going to의 쓰임**

본문 강의

 긍정문 – [be동사+going to+동사원형]

be going to는 '~할 예정이다', '~할 것이다'의 의미를 갖는 표현으로 앞으로 일어날 일을 계획하거나, 예측할 때 사용합니다. be동사 부분은 am, are, is 중 하나로 쓰며, be going to 다음에 반드시 동사 원형이 와야 합니다.

I 나는	**am going to** meet her tomorrow. 내일 그녀를 만날 것이다.
He / She 그는 / 그녀는	**is going to** stay home tomorrow. 내일 집에 있을 것이다.
You / They / We 너는(너희들은) / 그들은 / 우리는	**are going to** watch TV tonight. 오늘 밤 TV를 볼 것이다.

 부정문 – [be동사+not+going to+동사원형]

be not going to는 '~하지 않을 것이다'라는 의미를 나타낼 때 사용합니다. be동사 다음에 not을 넣습니다.

I 나는	**am not going to** meet her tomorrow. 내일 그녀를 만나지 않을 것이다.
He / She 그는 / 그녀는	**is not going to** stay home tomorrow. 내일 집에 있지 않을 것이다.
You / They / We 너는(너희들은) / 그들은 / 우리는	**are not going to** watch TV tonight. 오늘 밤 TV를 보지 않을 것이다.

> **Tips**
> • be going to를 사용할 때 be동사는 주어의 수나 인칭에 따라 다르게 사용해야 합니다.
> • be going to 대신 will(~할 것이다)을 사용할 수도 있습니다. will 다음에 반드시 동사원형이 와야 합니다.
> I am going to visit her tomorrow. → I will visit her tomorrow.

 의문문 – [Be동사+주어+going to+동사원형 ~?]

be going to를 이용한 의문문은 '~할 거니?'라는 뜻으로 앞으로 일어날 일을 물을 때 사용합니다. be동사를 주어 앞으로 보내고 문장 끝에 물음 표를 붙입니다.

Are you **going to visit** her tomorrow? 너는 내일 그녀를 방문할 거니?
Is she **going to make** dinner? 그녀는 저녁을 만들 거니?

Guide
be going to 다음에 반드시 동사원형이 와야 합니다.

1 다음 괄호 안에서 알맞은 것에 동그라미 하세요.

01 I am (go / (going)) to ((take) / takes) a walk.
나는 산책을 할 것이다.

02 She (be / are / is) going to (meet / meeting) John.
그녀는 존을 만날 것이다.

03 Jim is (go / going) to (open / opening) the window.
짐은 창문을 열 것이다.

04 He (is not / not is) going to (pick / picking) the flowers.
그는 꽃을 꺾지 않을 것이다.

05 We (be / are) (go / going) to visit the museum.
우리는 박물관을 방문할 것이다.

06 Tony (is / be) (goes / going) to eat lunch at noon.
토니는 정오에 점시식사를 할 것이다.

07 She is (not going / going not) to (buy / buys) the book.
그녀는 그 책을 사지 않을 것이다.

08 We (be / is / are) going to (clean / cleans) the room.
우리는 방 청소를 할 것이다.

09 The boys (is / are) going to (swim / swims) in the pool.
그 소년들은 수영장에서 수영을 할 것이다.

10 He (are / is / be) (go / going) to be late.
그는 늦을 것이다.

11 He is (not going to / not to going) play computer games.
그는 컴퓨터 게임을 하지 않을 것이다.

12 Are they (going to / go to) study in the library?
그들은 도서관에서 공부할 거니?

WORDS

take a walk 산책하다 **meet** 만나다 **window** 창문 **pick** 꺾다 **flower** 꽃 **visit** 방문하다
at noon 정오에 **clean** 청소하다 **swim** 수영하다 **pool** 수영장 **late** 늦은 **library** 도서관

1 다음 주어진 단어를 이용해서 우리말과 일치하도록 쓰세요.

01 나는 제인을 만날 것이다. (meet)
→ I ___am___ ___going___ ___to___ ___meet___ Jane.

02 곧 눈이 내릴 것이다. (snow)
→ It _____ soon.

03 그들은 사진을 찍을 것이다. (take)
→ They _____ photos.

04 우리는 학교까지 뛰어갈 것이다. (run)
→ We _____ to school.

05 톰은 영화를 볼 것이다. (watch)
→ Tom _____ a movie.

06 그 소녀는 라디오를 들을 것이다. (listen)
→ The girl _____ to the radio.

07 그 소년들은 캠핑을 갈 것이다. (go)
→ The boys _____ camping.

08 나의 여동생은 피아노를 칠 것이다. (play)
→ My sister _____ the piano.

09 브라운 선생님은 역사를 가르칠 것이다. (teach)
→ Mr. Brown _____ history.

10 너는 제임스를 좋아할 것이다. (like)
→ You _____ James.

11 그는 새 신발을 살 것이다. (buy)
→ He _____ new shoes.

12 그 상점은 10시에 열 것이다. (open)
→ The store _____ at 10.

WORDS

meet 만나다 snow 눈 soon 곧 photo 사진 watch 보다 movie 영화 listen 듣다
radio 라디오 go 가다 camping 캠핑 history 역사 shoe 신발 store 상점

Practice 3

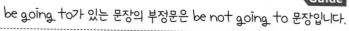 **Guide**

be going to가 있는 문장의 부정문은 be not going to 문장입니다.

1 다음 우리말과 일치하도록 주어진 단어를 이용해서 문장과 부정문을 완성하세요.

01 나는 피아노를 칠 것이다. (play)

→ I _____am going to play_____ the piano.

→ 부정문 I _____am not going to play_____ the piano.

02 그녀는 그 질문에 대답할 것이다. (answer)

→ She _____ the question.

→ 부정문 She _____ the question.

03 그는 그 방을 청소할 것이다. (clean)

→ He _____ the room.

→ 부정문 He _____ the room.

04 나의 친구들이 음악을 들을 것이다. (listen)

→ My friends _____ to music.

→ 부정문 My friends _____ to music.

05 그는 부산으로 이사 갈 것이다. (move)

→ He _____ to Busan.

→ 부정문 He _____ to Busan.

06 데이비드는 햄버거를 먹을 것이다. (eat)

→ David _____ a hamburger.

→ 부정문 David _____ a hamburger.

07 나의 삼촌은 피자를 만들 예정이다. (make)

→ My uncle _____ pizza.

→ 부정문 My uncle _____ pizza.

08 나는 매일 그녀를 방문할 예정이다. (visit)

→ I _____ her every day.

→ 부정문 I _____ her every day.

WORDS

answer 대답하다 **question** 질문 **clean** 청소하다 **room** 방 **listen** 듣다 **music** 음악
move 이사 가다 **hamburger** 햄버거 **uncle** 삼촌 **visit** 방문하다 **every day** 매일

15 지시형용사

본문 강의

1 지시형용사 this / these / that / those

this, these, that, those는 명사의 앞에 놓여 명사를 꾸며주는 '지시형용사'로도 사용될 수 있는데, 이 때 this와 these는 '이~', that과 those는 '저~'로 해석합니다.

this/that+단수명사	this book 이 책	that book 저 책
these/those+복수명사	these books 이 책들	those books 저 책들

Tips this, these, that, those는 사람을 가리킬 때에도 사용합니다. that girl 저 소녀   those boys 저 소년들

2 지시형용사의 쓰임

[지시형용사+명사]는 문장의 주어나 목적어 자리에 올 수 있습니다.

주어 역할	**This book** is very interesting. 이 책은 매우 재미있다. **These apples** are delicious. 이 사과들은 맛있다.
목적어 역할	I am going to buy **that computer**. 나는 저 컴퓨터를 살 것이다. He wants **those pencils**. 그는 저 연필들을 원한다.

Tips 목적어는 동사의 행위를 받는 대상으로 '~을', '~를'로 해석합니다.
예 I like you. 나는 너를 좋아한다. (동사 like의 대상인 you가 목적어입니다.)

3 의문문과 대답하기

This movie is good. → Is **this movie** good? 이 영화는 좋다.	Yes, it is. / No, it isn't.
These apples are delicious. → Are **these apples** delicious? 이 사과들은 맛있다.	Yes, they are. No, they aren't.

Tips [this/that+단수명사]로 질문할 때에는 it으로 대답하고, [these/those+복수명사]로 질문할 때에는 they로 대답합니다.

Practice 1

1 다음 괄호 안에서 알맞은 것을 고르세요.

01 (This / These) book is interesting.
이 책은 재미있다.

02 I need (that / those) pencil.
나는 저 연필이 필요하다.

03 (This / These) boys are my classmates.
이 소년들은 나의 같은 반 친구들이다.

04 (That / Those) woman is my aunt.
저 여성은 나의 이모다.

05 I want (these / that) socks.
나는 이 양말을 원한다.

06 He likes those (toy / toys).
그는 저 장난감들을 좋아한다.

07 I teach (that / those) students.
나는 저 학생들을 가르친다.

08 We live in (this / these) house.
우리는 이 집에 산다.

09 This (movie / movies) is boring.
이 영화는 지루하다.

10 These (dog / dogs) are very fast.
이 개들은 매우 빠르다.

11 (That / Those) boy is my cousin.
저 소년은 내 사촌이다.

12 Those (car / cars) are very old.
저 자동차들은 매우 오래되었다.

WORDS

interesting 재미있는 need 필요하다 classmate 반 친구 aunt 이모 toy 장난감 teach 가르치다
live 살다 house 집 boring 지루한 cousin 사촌 old 낡은, 오래된

this와 these는 가까이, that과 those는 멀리 있는 것을 가리킵니다.

1 다음 그림을 보고 빈칸에 This, That, These, Those 중 알맞은 것을 쓰세요.

01   _____That_____ cat is cute.
저 고양이는 귀엽다.

02   _____ books are not interesting.
저 책들은 재미없다.

03   _____ baby is crying.
이 아기는 울고 있다.

04   _____ shoes are old.
이 신발은 낡았다.

05   _____ apple is red.
저 사과는 빨갛다.

06   _____ students are my friends.
저 학생들은 내 친구들이다.

07   _____ car is very expensive.
저 자동차는 매우 비싸다

08   _____ animal is a horse.
이 동물은 말이다.

09   _____ boy is my brother.
저 소년은 내 형이다.

10   _____ boxes are heavy.
이 상자들은 무겁다.

WORDS

cute 귀여운   **interesting** 재미있는   **cry** 울다   **shoe** 신발   **student** 학생   **expensive** 비싼

animal 동물   **horse** 말   **box** 상자   **heavy** 무거운

질문이 this/that이면 it으로, these/those이면 they로 대답합니다.

1 다음 우리말과 일치하도록 대화의 빈칸에 알맞은 말을 쓰세요.

01 A: Is _____this_____ book yours? 이 책은 네 것이니?

B: Yes, _____it_____ is. 응, 그래.

02 A: Is _____ computer brand-new? 저 컴퓨터는 신상품이니?

B: Yes, _____ is. 응, 그래.

03 A: Are _____ cookies delicious? 이 쿠키들은 맛있니?

B: Yes, _____ are. 응, 그래.

04 A: Are _____ towels clean? 저 수건들은 깨끗하니?

B: No, _____ aren't. 아니, 그렇지 않아.

05 A: Is _____ horse fast? 저 말은 빠르니?

B: No, _____ isn't. 아니, 그렇지 않아.

2 다음 밑줄 친 부분을 바르게 고치세요.

01 I like <u>this</u> cookies. ⟶ _____these_____
나는 이 쿠키들을 좋아한다.

02 I teach those <u>girl</u>. ⟶ _____
나는 저 소녀들을 가르친다.

03 <u>That</u> pencils are short. ⟶ _____
저 연필들은 짧다.

04 These <u>story</u> are fun. ⟶ _____
이 이야기들은 재미있다.

05 We like <u>those</u> singer. ⟶ _____
우리는 저 가수를 좋아한다.

WORDS

book 책 **brand-new** 신제품의 **cookie** 쿠키 **delicious** 맛있는 **towel** 수건 **horse** 말
short 짧은 **story** 이야기 **fun** 재미있는 **singer** 가수

Chapter 16

인칭대명사 Ⅱ

본문 강의

① He / She / They / We / It의 쓰임 – 문장에서 주어 역할을 합니다.

He는 '그는'이란 의미로 앞에서 언급한 남성 한 명을 대신해 사용합니다.	My brother is 10 years old. 내 남동생은 10살이다. He is very smart. (he = my brother) 그는 매우 영리하다.
She는 '그녀는'이란 의미로 앞에서 언급한 여성 한 명을 대신해 사용합니다.	My mom is in the room. 나의 엄마는 방에 계시다. She is tall. (She = My mom) 그녀는 키가 크다.
They는 '그(것)들은'이란 의미로 앞에서 언급한 둘 이상의 사람, 사물, 동물 등을 대신해 사용합니다.	The apples are on the table. 그 사과들은 식탁 위에 있다. They are red. (They = The apples) 그것들은 빨간색이다.
We는 '우리는'이란 의미로 앞에서 언급한 나를 포함해 두 사람 이상을 대신해 사용합니다.	Jane and I like swimming. 제인과 나는 수영하는 것을 좋아한다. We go swimming every day. 우리는 매일 수영하러 간다. (We = Jane and I)
It은 '그것은'이란 의미로 앞에서 언급한 한 개의 물건이나 동물 한 마리를 대신해 사용합니다.	A white cat is on the chair. 흰색 고양이가 의자 위에 있다. It is very lovely. (It = A white cat) 그 고양이는 매우 사랑스럽다.

② him / her / them / us / it의 쓰임 – 동사 뒤에 와서 목적어 역할을 합니다.

him은 '그를'이란 의미로 앞에서 언급한 남성 한 명을 대신해 사용합니다.	Kevin is my friend. 케빈은 나의 친구다. I like him. (him = Kevin) 나는 그를 좋아한다.
her는 '그녀를'이란 의미로 앞에서 언급한 여성 한 명을 대신해 사용합니다.	Jane is my sister. 제인은 나의 누나이다. I love her. (her = Jane) 나는 그녀를 사랑한다.
them은 '그(것)들을'이란 의미로 앞에서 언급한 둘 이상의 사람, 사물, 동물 등을 대신해 사용합니다.	John and Tom are my friends. 존과 톰은 나의 친구들이다. I like them. (them = John and Tom) 나는 그들을 좋아한다.
us는 '우리를'이란 의미로 나를 포함한 두 명 이상의 사람을 대신해 사용합니다.	Jane and I learn English. 제인과 나는 영어를 배운다. Mr. Ted teaches us. (us = Jane and I) 테드 선생님이 우리를 가르치신다.
it은 '그것을'이란 의미로 앞에서 언급한 한 개의 물건이나 동물 한 마리를 대신해 사용합니다.	I have a computer. 나는 컴퓨터가 있다. I use it every day. (it = a computer) 나는 그것을 매일 사용한다.

1 다음 괄호 안에서 알맞은 것을 고르세요.

01 There are three cats in the room. (He / She / (They)) are my cats.
고양이 세 마리가 방에 있다. 그들은 나의 고양이들이다.

02 A boy is in the classroom. (He / She / They) is very tall.
한 소년이 교실에 있다. 그는 매우 키가 크다.

03 My sister is very smart. (It / She / They) goes to elementary school.
내 여동생은 매우 영리하다. 그녀는 초등학교에 다닌다.

04 John and Tom are my cousins. I like (she / him / them).
존과 톰은 나의 사촌들이다. 나는 그들을 좋아한다.

05 Kevin is very tall. (He / We / They) is good at basketball.
케빈은 매우 키가 크다. 그는 농구를 잘한다.

06 The students speak English. (He / She / They) are from Canada.
그 학생들은 영어로 말한다. 그들은 캐나다출신이다.

07 Jane is my sister. I love (her / him / them).
제인은 나의 여동생이다. 나는 그녀를 사랑한다.

08 I have a computer. I use (it / its / them) every day.
나의 컴퓨터가 있다. 나는 그것을 매일 사용한다.

09 Bob and I learn English. (We / They / He) can speak English.
밥과 나는 영어를 배운다. 우리는 영어로 말할 수 있다.

10 My uncle is a farmer. I visit (she / him / them) every weekend.
나의 삼촌은 농부다. 나는 주말마다 그를 방문한다.

11 My mom is a housewife. I help (her / us / them).
나의 엄마는 가정주부시다. 나는 그녀를 돕는다.

12 John and Jane are my friends. I like (her / him / them).
존과 제인은 내 친구들이다. 나는 그들을 좋아한다.

WORDS

classroom 교실 **elementary school** 초등학교 **cousin** 사촌 **basketball** 농구
every day 매일 **learn** 배우다 **farmer** 농부 **weekend** 주말 **housewife** 가정주부 **help** 돕다

Guide

him / her / them / us / it은 동사 뒤에 와서 목적어 역할을 합니다.

1 다음 우리말과 일치하도록 알맞은 말을 빈칸에 쓰세요.

01 My father is on the bus. ___He___ is a bus driver.
나의 아버지는 버스에 계시다. 그는 버스 운전사다.

02 A woman is on stage. _____ is a singer.
한 여성이 무대 위에 있다. 그녀는 가수다.

03 My sister is 14 years old. _____ goes to middle school.
나의 언니는 14살이다. 그녀는 중학교에 다닌다.

04 John and Jane are my friends. _____ are from England.
존과 제인은 내 친구들이다. 그들은 영국에서 왔다.

05 I like strawberries. I eat _____ every day.
나는 딸기를 좋아한다. 나는 그것들을 매일 먹는다.

06 Mr. Smith is our English teacher. We like _____.
스미스 씨는 우리 영어선생님이다. 우리는 그를 좋아한다.

07 Tom is my elder brother. _____ doesn't like apples.
톰은 나의 형이다. 그는 사과를 좋아하지 않는다.

08 My father has a car. He washes _____ on Sunday.
나의 아버지는 자동차가 있다. 그는 일요일에 세차를 하신다.

09 My sister and I go to the same school. My mom drives _____ to school.
여동생과 나는 같은 학교에 다닌다. 엄마가 우리를 자동차로 등교시킨다.

10 There are some strawberries in the basket. _____ are very fresh.
딸기들이 바구니에 조금 있다. 그것들은 매우 신선하다.

11 Tom and I like K-pop. _____ listen to K-pop every day.
톰과 나는 케이팝을 좋아한다. 우리는 매일 케이팝을 듣는다.

12 I have two dogs. I walk _____ in the afternoon.
나는 개가 두 마리 있다. 나는 그들을 오후에 산책시킨다.

WORDS

bus driver 버스 운전사 **stage** 무대 **middle school** 중학교 **England** 영국 **strawberry** 딸기
elder brother 형 **basket** 바구니 **fresh** 신선한 **afternoon** 오후

주어와 목적어를 나타내는 인칭대명사를 구분해서 사용해야 합니다.

1 다음 우리말과 일치하도록 밑줄 친 부분을 바르게 고치세요.

01 My mom works at a hospital. <u>He</u> is a nurse. →   She
나의 엄마는 병원에서 일하신다. 그녀는 간호사다.

02 The girls are in the classroom. <u>She</u> are my classmates. → _____
소녀들이 교실에 있다. 그들은 나의 같은 반 친구들이다.

03 The magazine is interesting. I read <u>them</u> every day. → _____
그 잡지는 재미있다. 나는 그것을 매일 읽는다.

04 John and Jane are my friends. <u>We</u> learn English. → _____
존과 제인은 내 친구들이다. 그들은 영어를 배운다.

05 Jessie and I are students. <u>I</u> go to school by bus. → _____
제시와 나는 학생이다. 우리는 학교에 버스 타고 간다.

06 Kevin and I learn Korean. Mr. Lee teaches <u>me</u>. → _____
케빈과 나는 한국어를 배운다. 이 선생님이 우리를 가르치신다.

07 Kelly is my younger sister. I love <u>him</u>. → _____
켈리는 나의 여동생이다. 나는 그녀를 사랑한다.

08 My uncle has a horse. He rides <u>them</u> every day. → _____
나의 삼촌은 말이 있다. 그는 매일 그것을 타신다.

09 I have two cats. I feed <u>him</u> every day. → _____
나는 고양이 두 마리가 있다. 나는 매일 그들에게 먹이를 준다.

10 There is a boy at the park. <u>She</u> is my friend. → _____
한 소년이 공원에 있다. 그는 내 친구다.

11 These songs are popular. I listen to <u>it</u> every day. → _____
이 노래들은 인기가 있다. 나는 그것들을 매일 듣는다.

12 A yellow bag is on the desk. <u>He</u> is not my bag. → _____
노란 가방이 책상 위에 있다. 그것은 내 가방이 아니다.

WORDS

hospital 병원 nurse 간호사 classmate 반 친구 magazine 잡지 interesting 재미있는
teach 가르치다 horse 말 feed 먹이를 주다 popular 인기 있는 yellow 노란

Review Test 4

공부한 날 :   부모님 확인 :

【01~02】 다음 그림을 보고 질문에 답하세요.

01›

A: Can you speak English?
B: Yes, _____ _____.

02›

A: Can your father fix the car?
B: No, _____ _____.

【03~05】 다음 우리말과 일치하도록 주어진 단어를 배열하세요.

03›
> 그는 버스를 운전할 수 있다.
> (drive / can / a bus / he)

→ _____

04›
> 우리는 빨리 걸을 수 없다.
> (fast / can't / we / walk)

→ _____

05›
> 그녀는 중국어로 말할 수 있다.
> (Chinese / she / speak / can)

→ _____

【06~08】 다음 주어진 단어와 be going to를 이용해서 문장을 완성하세요.

06›
eat

→ David _____ a hamburger.

07›
ride

→ Ted _____ a bicycle.

08›
swim

→ They _____ in the pool.

【09~10】 다음 우리말을 영어로 바르게 쓴 것을 고르세요.

09>

우리는 방 청소를 할 것이다.

① We going to clean the room.
② We go to clean the room.
③ We are going clean the room.
④ We going to cleans the room.
⑤ We are going to clean the room.

10>

그들은 바다에서 수영할 수 없다.

① They can swim in the sea.
② They can't swim in the sea.
③ They can't swimming in the sea.
④ They can't swims in the sea.
⑤ They don't swim in the sea.

【11~14】 다음 문장을 부정문으로 쓰세요.

11>

My uncle is going to make pizza.

→ My uncle _____

_____ .

12>

She is going to play computer games.

→ She _____

_____ .

13>

I can answer the question.

→ I _____

_____ .

14>

He can speak Korean.

→ He _____ .

15> 다음 우리말과 같도록 대화의 빈칸에 알맞은 말을 쓰세요.

A: Are _____ students your
   friends? 저 학생들은 너의 친구들이니?
B: Yes, _____ are. 응, 그래.

A: _____   B: _____

16> 다음 중 문장이 <u>어색한</u> 것을 고르세요.

① They can swim in the sea.
② We are going to read books.
③ Cathy is going to eat noodles.
④ He can't runs fast.
⑤ My friends can speak English.

【17~19】 다음 그림을 보고 빈칸에 알맞은 말을 쓰세요.

17>

He wants _____ pencils.
그는 저 연필들을 원한다.

18>

_____ girls are my best friends.
이 소녀들은 나의 가장 친한 친구들이다.

19>

We live in _____ house.
우리는 이 집에 산다.

【20~21】 다음 중 대화의 빈칸에 알맞은 것을 고르세요.

20>
A: Are these cookies delicious?
B: Yes, _____.

① it is   ② they are
③ these are   ④ those are
⑤ this is

21>
A: Is this your bag?
B: Yes, _____.

① it is   ② they are
③ these are   ④ those are
⑤ this is

【22~24】 다음 중 빈칸에 알맞은 것을 고르세요.

22>
Bob and I learn English.
_____ can speak English.

① We   ② You
③ She   ④ They
⑤ It

23>
John and Tom are my cousins.
I like _____.

① him   ② her
③ them   ④ those
⑤ this

24>
Jane is my sister.
I love _____.

① him   ② her
③ them   ④ those
⑤ this

【25~26】 다음 그림을 보고 빈칸에 알맞은 말을 쓰세요.

25〉

I like cookies.
I eat _____ every day.

→ _____

26〉

Tom and I like baseball.
_____ play baseball every day.

→ _____

27〉 다음 중 어색한 문장을 고르세요.

① This book is very interesting.
② These apples are delicious.
③ I am going to buy that computer.
④ He wants those pencils.
⑤ This movies is very interesting.

28〉 다음 밑줄 친 부분을 바르게 고치세요.

Kelly is my younger sister.
I love him.

→ _____

29〉 다음 우리말과 일치하도록 빈칸에 알맞은 말을 쓰세요.

제인은 국수를 먹을 것이다.

→ Jane is _____ eat noodles.

30〉 다음 대화의 빈칸에 알맞은 말을 쓰세요.

A: Are those students your
   friends?
B: Yes, _____ are.

→ _____

memo

memo

memo

Longman

GRAMMAR HOUSE

초등영문법

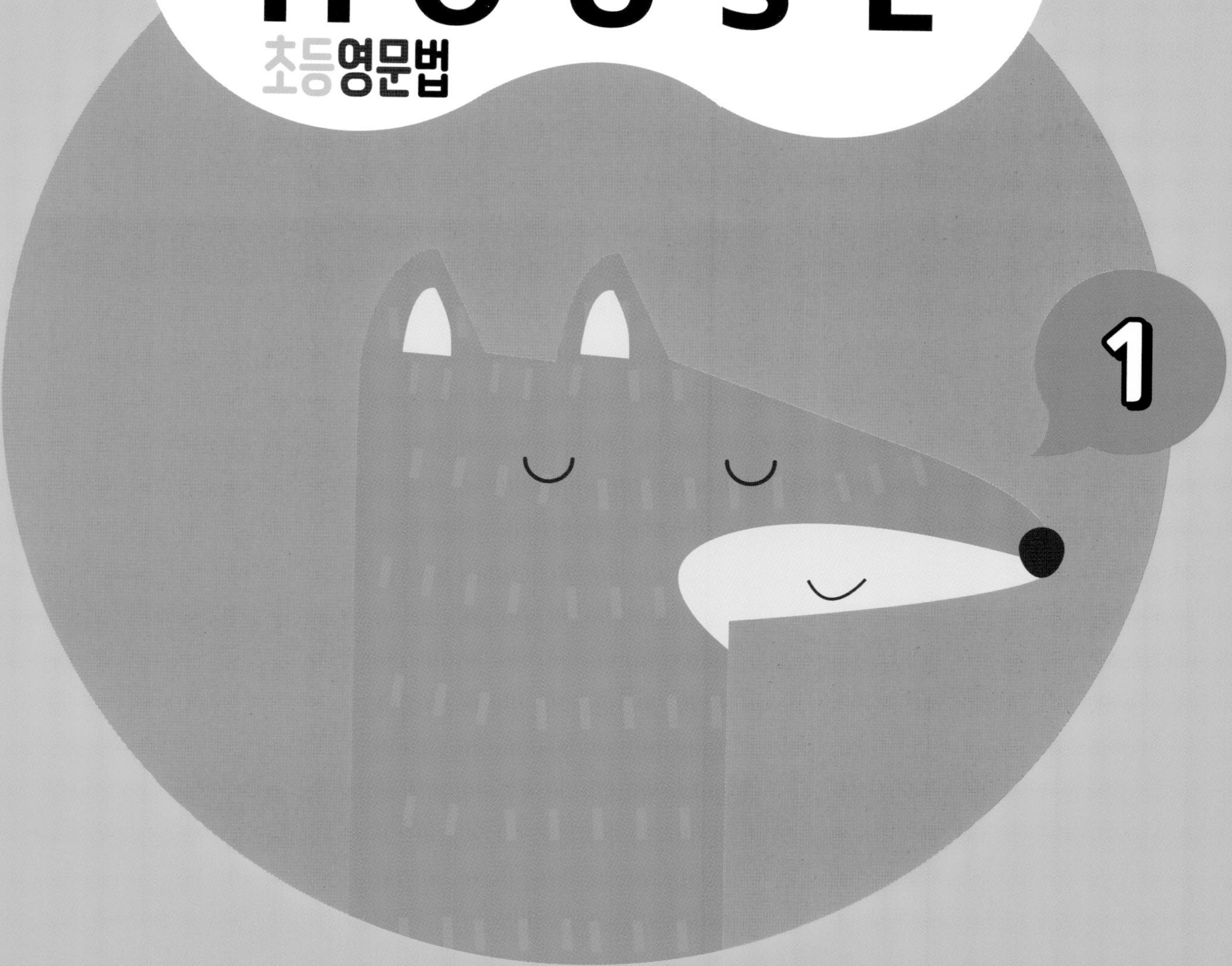

WORKBOOK & ANSWERS

Pearson

Longman

GRAMMAR
HOUSE
초등영문법

WORKBOOK

1

💧 다음 단어를 3번씩 더 쓰세요.

	단어	뜻	쓰기
01	airplane	비행기	airplane
02	arm	팔	arm
03	banana	바나나	banana
04	cabbage	양배추	cabbage
05	chair	의자	chair
06	doll	인형	doll
07	elephant	코끼리	elephant
08	eraser	지우개	eraser
09	flower	꽃	flower
10	hospital	병원	hospital
11	house	집	house
12	lamp	등	lamp
13	library	도서관	library
14	museum	박물관	museum
15	orange	오렌지	orange
16	owl	부엉이	owl
17	restaurant	식당	restaurant
18	umbrella	우산	umbrella
19	uncle	삼촌	uncle
20	zebra	얼룩말	zebra

1 다음 우리말 뜻에 해당하는 영어 단어를 쓰세요.

01 등   → _____   02 얼룩말   → _____

03 비행기   → _____   04 의자   → _____

05 박물관   → _____   06 바나나   → _____

07 지우개   → _____   08 코끼리   → _____

09 집   → _____   10 도서관   → _____

11 삼촌   → _____   12 양배추   → _____

2 다음 우리말과 일치하도록 보기에서 알맞은 단어를 골라 쓰세요.

elephant   umbrella   orange   eraser   flower

01 우산 한 개   → an _____

02 오렌지 한 개   → an _____

03 꽃 한 송이   → a _____

04 지우개 한 개   → an _____

05 코끼리 한 마리   → an _____

중요문법 요점정리

▶ 명사의 의미: 명사는 우리 주위에 있는 모든 것들의 이름을 나타내는 말입니다.
　명사는 _____, _____, _____, _____ 등을 나타냅니다.

▶ 명사와 관사: 명사 앞에 _____ 나 _____ 을 쓸 수 있습니다.
　• 자음소리로 시작하는 명사 앞에는 _____ 를 씁니다.
　_____ book 책   _____ cat 고양이   _____ carrot 당근
　• 모음소리(a, e, i, o, u)로 시작하는 명사에는 _____ 을 씁니다.
　_____ apple 사과   _____ egg 달걀   _____ orange 오렌지

💧 다음 단어를 3번씩 더 쓰세요.

	단어	뜻	쓰기
01	basket	바구니	basket
02	bench	긴 의자	bench
03	box	상자	box
04	brother	형, 남동생	brother
05	carrot	당근	carrot
06	glass	유리잔	glass
07	need	필요하다	need
08	office	사무실	office
09	onion	양파	onion
10	playground	놀이터	playground
11	potato	감자	potato
12	road	도로	road
13	rose	장미	rose
14	sheep	양	sheep
15	store	상점	store
16	table	식탁	table
17	toy	장난감	toy
18	violin	바이올린	violin
19	wolf	늑대	wolf
20	zoo	동물원	zoo

1 다음 우리말 뜻에 해당하는 영어 단어를 쓰세요.

01 장미 → _____ 02 양 → _____

03 양파 → _____ 04 상자 → _____

05 당근 → _____ 06 형, 남동생 → _____

07 상점 → _____ 08 동물원 → _____

09 긴 의자 → _____ 10 감자 → _____

11 바이올린 → _____ 12 유리잔 → _____

2 다음 우리말과 일치하도록 보기에서 알맞은 단어를 골라 쓰세요.

playground office store zoo road

01 놀이터에 많은 어린이들이 있다.

→ There are many children in the _____.

02 도로에 버스가 5대 있다.

→ Five buses are on the _____.

03 사무실에 여성이 9명 있다.

→ There are nine women in the _____.

중요문법 **요점정리**

▶ 명사의 복수: 명사가 하나일 때에는 _____, 둘 이상일 때에는 _____ 라고 합니다.
▶ **명사의 복수형 만드는 법**

대부분의 명사에는 -_____를 붙입니다.	desk 책상 → _____
-x, -s, -sh, -ch, -o로 끝나는 명사에는 -_____를 붙입니다.	bus 버스 → _____
[모음+y]로 끝나는 명사에는 -_____를 붙입니다.	toy 장난감 → _____
[자음+y]로 끝나는 명사는 -y를 -i로 바꾸고 -_____를 붙입니다.	city 도시 → _____
-f나 -fe로 끝나는 명사는 -f나 -fe를 -_____로 바꿉니다.	wolf 늑대 → _____

다음 단어를 3번씩 더 쓰세요.

	단어	뜻	쓰기
01	aunt	이모, 고모	aunt
02	car	자동차	car
03	friend	친구	friend
04	hairstyle	머리 스타일	hairstyle
05	help	돕다	help
06	house	집	house
07	know	알다	know
08	like	좋아하다	like
09	live	살다	live
10	market	시장	market
11	name	이름	name
12	parents	부모	parents
13	room	방	room
14	sister	누나, 여동생	sister
15	strawberry	딸기	strawberry
16	teacher	선생님	teacher
17	uncle	삼촌	uncle
18	very	매우	very
19	visit	방문하다	visit
20	walk	산책시키다	walk

1 다음 우리말 뜻에 해당하는 영어 단어를 쓰세요.

01 친구 → _____   02 누나, 여동생 → _____

03 선생님 → _____   04 딸기 → _____

05 좋아하다 → _____   06 살다 → _____

07 매우 → _____   08 방문하다 → _____

09 자동차 → _____   10 시장 → _____

11 방 → _____   12 삼촌 → _____

2 다음 우리말과 일치하도록 보기에서 알맞은 단어를 골라 쓰세요.

> **parents   teacher   hairstyle   house   friends**

01 그들은 너의 머리 스타일을 좋아한다.

→ They like your _____.

02 톰과 제인은 나의 친구들이다.

→ Tom and Jane are my _____.

03 나의 부모님은 나를 사랑하신다.

→ My _____ love me.

중요문법 요점정리

▶ _____는 사람이나 물건의 이름을 대신할 때 사용하며, 사람이나 물건의 이름을 부르지 않고 그 이름을 대신하는 표현들입니다. 나, 너, 우리, 그녀, 그들, 그것들 등이 _____에 속합니다.

▶ 명사를 인칭대명사로 나타낼 수 있습니다.

(1) 남자 1명 = _____   (2) 여자 1명 = _____

(3) 동물 1마리, 물건 1개 = _____   (4) 나(I)를 포함한 여러 명 = _____

(5) 너(you)를 포함한 여러 명 = _____   (6) I와 you를 빼고 여러 명 = _____

💧 다음 단어를 3번씩 더 쓰세요.

	단어	뜻	쓰기
01	bag	가방	bag
02	ball	공	ball
03	beautiful	아름다운	beautiful
04	busy	바쁜	busy
05	classmate	반 친구	classmate
06	cousin	사촌	cousin
07	dancer	무용수	dancer
08	delicious	맛있는	delicious
09	fresh	신선한	fresh
10	house	집	house
11	hungry	배고픈	hungry
12	nurse	간호사	nurse
13	police officer	경찰관	police officer
14	puppy	강아지	puppy
15	scientist	과학자	scientist
16	singer	가수	singer
17	tall	높은	tall
18	tower	타워	tower
19	uncle	삼촌	uncle
20	vegetable	야채	vegetable

1 다음 우리말 뜻에 해당하는 영어 단어를 쓰세요.

01 바쁜 → _____ 　　02 집 → _____

03 아름다운 → _____ 　　04 무용수 → _____

05 가방 → _____ 　　06 공 → _____

07 반 친구 → _____ 　　08 과학자 → _____

09 강아지 → _____ 　　10 사촌 → _____

11 배고픈 → _____ 　　12 가수 → _____

2 다음 우리말과 일치하도록 보기에서 알맞은 단어를 골라 쓰세요.

> hungry　　police officer　　nurse　　singer　　fresh

01 나의 삼촌은 경찰이다.

→ My uncle is a _____.

02 그 야채들은 싱싱하다.

→ The vegetables are very _____.

03 존은 간호사이다.

→ John is a _____.

중요문법 요점정리

▶ be동사란 우리말로 '~이다', '~에 있다'라는 뜻으로 주어의 존재나 상태를 나타내주는 역할을 하는 동사입니다.
be동사는 _____, _____, _____가 있습니다.

am	주어가 _____(나는)일 때만 사용합니다.	I _____ a student. 나는 학생이다.
are	주어가 You/We/They 그리고 _____일 때 사용합니다.	You _____ a student. 너는 학생이다.
is	주어가 He, She, It 그리고 _____일 때 사용합니다.	He _____ strong. 그는 강하다.

Chapter 05 Vocabulary

💧 다음 단어를 3번씩 더 쓰세요.

	단어	뜻	쓰기
01	angry	화난	angry
02	clever	영리한	clever
03	desk	책상	desk
04	drive	운전하다	drive
05	famous	유명한	famous
06	hair	머리카락	hair
07	handsome	잘생긴	handsome
08	hot	더운	hot
09	live	살다	live
10	outside	밖	outside
11	rainy	비 오는	rainy
12	ribbon	리본	ribbon
13	singer	가수	singer
14	today	오늘	today
15	train	기차	train
16	ugly	못생긴	ugly
17	voice	목소리	voice
18	want	원하다	want
19	weather	날씨	weather
20	windy	바람 부는	windy

1 다음 우리말 뜻에 해당하는 영어 단어를 쓰세요.

01 더운 → _____ 02 영리한 → _____

03 목소리 → _____ 04 머리카락 → _____

05 바람 부는 → _____ 06 살다 → _____

07 책상 → _____ 08 유명한 → _____

09 화난 → _____ 10 운전하다 → _____

11 리본 → _____ 12 비오는 → _____

2 다음 우리말과 일치하도록 보기에서 알맞은 단어를 골라 쓰세요.

handsome   rainy   weather   ribbon   voice

01 그 소녀는 아름다운 목소리를 가지고 있다.

→ The girl has a beautiful _____.

02 나는 맑은 날씨가 좋다.

→ I like sunny _____.

03 나의 남동생은 매우 잘생겼다.

→ My brother is very _____.

중요문법 요점정리

▶ _____ 란 사람의 기분 · 성격 · 외모 또는 사물의 크기 · 모양 · 색 · 수량 · 특징 등을 설명해 주는 말입니다. 형용사는 명사 _____ 명사를 수식하고 be동사 _____ 주어의 상태를 설명합니다.

주어 + be동사 + _____	He is _____. 그는 키가 크다.
	The car is _____. 그 자동차는 빨간색이다.
주어 + be동사 + 형용사 + _____	He is a _____ student. 그는 훌륭한 학생이다.
	They are _____ vegetables. 그것들은 신선한 야채들이다.

다음 단어를 3번씩 더 쓰세요.

	단어	뜻	쓰기
01	actor	배우	actor
02	baseball	야구	baseball
03	classmate	같은 반 친구	classmate
04	classroom	교실	classroom
05	cousin	사촌	cousin
06	cucumber	오이	cucumber
07	delicious	맛있는	delicious
08	foolish	어리석은	foolish
09	happy	행복한	happy
10	heavy	무거운	heavy
11	housewife	가정주부	housewife
12	movie	영화	movie
13	popular	인기 있는	popular
14	pumpkin	호박	pumpkin
15	rich	부유한	rich
16	song	노래	song
17	teacher	선생님	teacher
18	tired	피곤한	tired
19	water	물	water
20	writer	작가	writer

1 다음 우리말 뜻에 해당하는 영어 단어를 쓰세요.

01 영화 → _____   02 부유한 → _____

03 선생님 → _____   04 어리석은 → _____

05 호박 → _____   06 배우 → _____

07 교실 → _____   08 인기 있는 → _____

09 작가 → _____   10 행복한 → _____

11 무거운 → _____   12 야구 → _____

2 다음 우리말과 일치하도록 보기에서 알맞은 단어를 골라 쓰세요.

classmate   delicious   cucumber   foolish   housewife

01 테드는 나와 같은 반 친구다.

→ Ted is my _____.

02 그것은 오이가 아니다.

→ It isn't a _____.

03 나의 어머니는 가정주부다.

→ My mom is a _____.

중요문법 요점정리

▶ 긍정문이란 '아니', '안', '아니다', '못하다' 따위의 부정어가 쓰이지 _____ 문장이고, _____ 이란 '～하지 않다', '～이 아니다'라는 부정의 의미를 나타내는 문장을 말합니다.

▶ be동사가 있는 문장을 부정문으로 만들 때 _____ 은 반드시 be동사 _____ 에 와야 합니다.

긍정문	부정문
I _____ a student.	I am _____ a student. 나는 학생이 아니다.
You _____ a student.	You are _____ a student. 너는 학생이 아니다.

다음 단어를 3번씩 더 쓰세요.

	단어	뜻	쓰기
01	busy	바쁜	busy
02	camel	낙타	camel
03	camera	카메라	camera
04	computer	컴퓨터	computer
05	cook	요리사	cook
06	delicious	맛있는	delicious
07	doctor	의사	doctor
08	famous	유명한	famous
09	friend	친구	friend
10	kind	친절한	kind
11	lamp	등	lamp
12	lawyer	변호사	lawyer
13	old	오래된, 낡은	old
14	parents	부모	parents
15	room	방	room
16	singer	가수	singer
17	smart	영리한	smart
18	teacher	선생님	teacher
19	tired	피곤한	tired
20	vegetable	야채	vegetable

1 다음 우리말 뜻에 해당하는 영어 단어를 쓰세요.

01 의사 → _____

02 맛있는 → _____

03 부모 → _____

04 오래된, 낡은 → _____

05 선생님 → _____

06 영리한 → _____

07 피곤한 → _____

08 유명한 → _____

09 변호사 → _____

10 친구 → _____

11 등 → _____

12 요리사 → _____

2 다음 우리말과 일치하도록 보기에서 알맞은 단어를 골라 쓰세요.

> doctor　　lawyers　　kind　　old　　vegetables

01 너희들은 변호사들이니?

→ Are you _____ ?

02 네 선생님들은 친절하시니?

→ Are your teachers _____ ?

03 그 야채들은 신선하다.

→ The _____ are fresh.

중요문법 요점정리

▶ 말하는 사람이 듣는 사람에게 질문하여 그 대답을 얻기 위한 문장을 _____ 이라고 합니다.

▶ be동사가 있는 문장을 의문문으로 만들려면 주어와 _____ 의 위치를 바꾸고, 문장 끝에 _____ (?)를 붙입니다.

▶ be동사가 있는 의문문은 _____ 나 _____ 로 답해야 합니다. 이때, 대답은 _____ 를 이용해서 해야 합니다.

A: Is the girl a student? 그 소녀는 학생이니?

B: Yes, _____ is. / No, she _____ .

Chapter **08** **Vocabulary**

다음 단어를 3번씩 더 쓰세요.

	단어	뜻	쓰기
01	bag	가방	bag
02	ball	공	ball
03	camera	카메라	camera
04	cap	(야구)모자	cap
05	carrot	당근	carrot
06	computer	컴퓨터	computer
07	doll	인형	doll
08	English	영어	English
09	flower	꽃	flower
10	glove	장갑	glove
11	house	집	house
12	library	도서관	library
13	notebook	공책	notebook
14	pants	바지	pants
15	parents	부모	parents
16	pencil	연필	pencil
17	penguin	펭귄	penguin
18	puppy	강아지	puppy
19	shoe	신발	shoe
20	sock	양말	sock

1 다음 우리말 뜻에 해당하는 영어 단어를 쓰세요.

01 (야구)모자 → _____ 02 공책 → _____

03 컴퓨터 → _____ 04 당근 → _____

05 영어 → _____ 06 도서관 → _____

07 부모 → _____ 08 신발 → _____

09 가방 → _____ 10 카메라 → _____

11 꽃 → _____ 12 인형 → _____

2 다음 우리말과 일치하도록 보기에서 알맞은 단어를 골라 쓰세요.

penguins   notebook   socks   house   library

01 저것은 네 집이니?

→ Is that your _____?

02 이것들은 나의 양말이다.

→ These are my _____.

03 저것들은 펭귄이다.

→ Those are _____.

중요문법 요점정리

▶ _____는 가까이 또는 멀리에 있는 사람·사물·동물 등을 가리킬 때 사용합니다.

_____ (이것, 이 사람)	_____ (저것, 저 사람)
_____ (이것들, 이 사람들)	_____ (저것들, 저 사람들)

▶ This와 That은 be동사로 _____를 사용하고, These와 Those은 be동사로 _____를 사용합니다.

▶ this나 that으로 물으면 _____으로 대답하고, these나 those로 물으면 _____로 대답합니다.

다음 단어를 3번씩 더 쓰세요.

	단어	뜻	쓰기
01	bank	은행	bank
02	baseball	야구	baseball
03	beach	해변	beach
04	bicycle	자전거	bicycle
05	breakfast	아침식사	breakfast
06	carrot	당근	carrot
07	Chinese	중국어	Chinese
08	clean	청소하다	clean
09	drink	마시다	drink
10	help	돕다	help
11	horse	말	horse
12	learn	배우다	learn
13	movie	영화	movie
14	museum	박물관	museum
15	poor	가난한	poor
16	ride	타다	ride
17	river	강	river
18	song	노래	song
19	tail	꼬리	tail
20	together	함께	together

1 다음 우리말 뜻에 해당하는 영어 단어를 쓰세요.

01 강 → _____   02 타다 → _____

03 자전거 → _____   04 해변 → _____

05 중국어 → _____   06 배우다 → _____

07 꼬리 → _____   08 마시다 → _____

09 아침식사 → _____   10 노래 → _____

11 말 → _____   12 함께 → _____

2 다음 우리말과 일치하도록 보기에서 알맞은 단어를 골라 쓰세요.

horse   baseball   river   poor   museum

01 나는 가난한 사람을 돕는다.

→ I help _____ people.

02 그들은 매주 일요일 야구를 한다.

→ They play _____ every Sunday.

03 나의 친구들은 매일 박물관을 방문한다.

→ My friends visit the _____ every day.

중요문법 요점정리

▶ 동사는 _____(am/are/is)와 _____로 나누어지며, 일반동사는 주어의 동작이나 상태를 나타내는 역할을 합니다.

▶ _____을 나타내는 동사에는 _____(뛰다), _____(노래하다), read(읽다), speak(말하다), watch(보다) 등이 있습니다.

▶ _____를 나타내는 동사에는 _____(좋아하다), _____(사랑하다), think(생각하다), understand(이해하다), know(알다) 등이 있습니다.

▶ _____이란 동사의 모양이 변하지 않는 것을 말합니다.
주어가 I/You/They/We/복수명사이며 _____를 나타내는 동사일 경우 동사원형을 사용합니다.

다음 단어를 3번씩 더 쓰세요.

	단어	뜻	쓰기
01	afternoon	오후	afternoon
02	bird	새	bird
03	bus	버스	bus
04	homework	숙제	homework
05	letter	편지	letter
06	live	살다	live
07	lunch	점심식사	lunch
08	meet	만나다	meet
09	morning	아침	morning
10	new	새로운	new
11	night	밤	night
12	noon	정오	noon
13	park	공원	park
14	people	사람들	people
15	radio	라디오	radio
16	read	읽다	read
17	study	공부하다	study
18	Sunday	일요일	Sunday
19	tail	꼬리	tail
20	weekend	주말	weekend

1 다음 우리말 뜻에 해당하는 영어 단어를 쓰세요.

01 꼬리 → _____ 02 점심식사 → _____

03 일요일 → _____ 04 주말 → _____

05 편지 → _____ 06 정오 → _____

07 새 → _____ 08 밤 → _____

09 새로운 → _____ 10 공부하다 → _____

11 만나다 → _____ 12 공원 → _____

2 다음 우리말과 일치하도록 보기에서 알맞은 단어를 골라 쓰세요.

morning Sunday people weekend afternoon

01 그녀는 가난한 사람들을 돕는다.

→ She helps the poor _____.

02 토니는 아침에 이를 닦는다.

→ Tony brushes his teeth in the _____.

03 제인은 오후에 그녀의 개를 산책시킨다.

→ Jane walks her dog in the _____.

중요문법 요점정리

▶ 주어가 _____ 인칭 단수 현재형일 때 동사원형에 - _____ 나 - _____ 를 붙입니다.
▶ 일반동사의 3인칭 단수형 만들기

대부분의 경우 동사원형의 끝에 - _____ 를 붙입니다.	come → _____ 오다
[_____ +y]로 끝나는 경우 y를 i로 바꾸고 -es를 붙입니다.	study → _____ 공부하다
[_____ +y]로 끝나는 경우 동사원형의 끝에 -s만 붙입니다.	play → _____ 놀다, 연주하다
[-o/-x/-s/-sh/-ch]로 끝나는 경우 동사원형의 끝에 - _____ 를 붙입니다.	go → _____ 가다

다음 단어를 3번씩 더 쓰세요.

	단어	뜻	쓰기
01	carrot	당근	carrot
02	Chinese	중국어	Chinese
03	coffee	커피	coffee
04	computer	컴퓨터	computer
05	dictionary	사전	dictionary
06	early	일찍	early
07	get up	일어나다	get up
08	glasses	안경	glasses
09	know	알다	know
10	live	살다	live
11	love	사랑하다	love
12	meat	고기	meat
13	meet	만나다	meet
14	museum	박물관	museum
15	ride	타다	ride
16	river	강	river
17	sleep	자다	sleep
18	spaghetti	스파게티	spaghetti
19	talk	말하다	talk
20	yellow	노란	yellow

1 다음 우리말 뜻에 해당하는 영어 단어를 쓰세요.

01 당근 → _____   02 고기 → _____

03 알다 → _____   04 사랑하다 → _____

05 만나다 → _____   06 안경 → _____

07 사전 → _____   08 말하다 → _____

09 살다 → _____   10 커피 → _____

11 중국어 → _____   12 강 → _____

2 다음 우리말과 일치하도록 보기에서 알맞은 단어를 골라 쓰세요.

> sleep   get up   ride   river   spaghetti

01 내 형은 자전거를 타지 않는다.

→ My brother does not _____ a bicycle.

02 수지는 일찍 일어나지 않는다.

→ Susie doesn't _____ early.

03 나의 부모님은 스파게티를 좋아하지 않으신다.

→ My parents don't like _____ .

중요문법 요점정리

▶ be동사의 부정문과 달리 일반동사의 부정문을 만들 때에는 _____ not이나 _____ not를 이용하며, '~하지 않는다'라고 해석합니다.

▶ 문장의 동사가 원형일 때는 동사 앞에 do not[= _____]을 쓰고, 동사에 -(e)s가 붙어 있을 때는 does not[= _____]을 씁니다. 이때 동사는 반드시 _____ 으로 써야 합니다.

• I drink coffee. 나는 커피를 마신다.

→ I don't[do not] _____ coffee. 나는 커피를 마시지 않는다.

• He has a computer. 그는 컴퓨터를 가지고 있다.

→ He doesn't[does not] _____ a computer. 그는 컴퓨터가 없다.

다음 단어를 3번씩 더 쓰세요.

	단어	뜻	쓰기
01	basketball	농구	basketball
02	every day	매일	every day
03	fruit	과일	fruit
04	girl	소녀	girl
05	history	역사	history
06	learn	배우다	learn
07	library	도서관	library
08	listen	듣다	listen
09	live	살다	live
10	market	시장	market
11	math	수학	math
12	music	음악	music
13	need	필요하다	need
14	nose	코	nose
15	piano	피아노	piano
16	short	짧은	short
17	speak	말하다	speak
18	teach	가르치다	teach
19	towel	수건	towel
20	tropical	열대의	tropical

1 다음 우리말 뜻에 해당하는 영어 단어를 쓰세요.

01 짧은 → _____ 02 피아노 → _____

03 역사 → _____ 04 수학 → _____

05 코 → _____ 06 가르치다 → _____

07 배우다 → _____ 08 음악 → _____

09 말하다 → _____ 10 수건 → _____

11 필요하다 → _____ 12 과일 → _____

2 다음 우리말과 일치하도록 보기에서 알맞은 단어를 골라 쓰세요.

> market   speak   library   music   tropical

01 너의 엄마는 매일 시장에 가시니?

→ Does your mom go to the _____ every day?

02 너는 열대 과일을 좋아하니?

→ Do you like _____ fruits?

03 그녀의 엄마는 도서관에서 일하시니?

→ Does her mom work at a _____ ?

중요문법 요점정리

▶ be동사가 있는 문장을 의문문으로 만들 때에는 be동사를 문장 앞으로 보냈지만 일반동사가 있는 문장을 의문문으로 만들 때에는 _____ 나 _____ 를 사용합니다.

· You live in Seoul. 너는 서울에 산다.

→ _____ you _____ in Seoul?

▶ 일반동사 의문문이 _____ 로 시작하면 대답도 do나 don't를 사용하고, _____ 로 시작하면 does나 doesn't를 사용합니다.

▶ 의문문에 대답을 할 때에는 반드시 _____ 를 사용해야 합니다.

· Does your brother like vegetables? Yes, _____ does. / No, he _____ .

다음 단어를 3번씩 더 쓰세요.

	단어	뜻	쓰기
01	attend	참석하다	attend
02	believe	믿다	believe
03	buy	사다	buy
04	cook	요리하다	cook
05	drive	운전하다	drive
06	eat	먹다	eat
07	flute	플루트	flute
08	French	프랑스어	French
09	guitar	기타	guitar
10	horse	말	horse
11	jump	점프하다	jump
12	meeting	미팅, 회의	meeting
13	move	옮기다	move
14	participate	참가하다	participate
15	party	파티	party
16	race	경주	race
17	ride	타다	ride
18	speak	말하다	speak
19	tennis	테니스	tennis
20	understand	이해하다	understand

1 다음 우리말 뜻에 해당하는 영어 단어를 쓰세요.

01 요리하다 → _____ 　02 먹다 → _____

03 타다 → _____ 　04 말 → _____

05 믿다 → _____ 　06 기타 → _____

07 참석하다 → _____ 　08 운전하다 → _____

09 경주 → _____ 　10 사다 → _____

11 미팅, 회의 → _____ 　12 말하다 → _____

2 다음 우리말과 일치하도록 보기에서 알맞은 단어를 골라 쓰세요.

> understand　meeting　participate　attend　party

01 나의 친구들은 달리기 경주에 참가할 수 없다.
→ My friends can't _____ in the race.

02 네 친구들은 중국어를 이해할 수 있니?
→ Can your friends _____ Chinese?

03 그녀는 회의에 참석할 수 있다.
→ She can _____ the meeting.

중요문법 요점정리

▶ can은 '~할 수 있다' 또는 '~할 줄 알다'라는 뜻으로 _____ 을 나타낼 때 사용하며, can 다음에 반드시 _____ 이 와야 합니다.

▶ cannot[can't]은 '~할 수 없다'라는 의미를 나타낼 때 사용하며, can't 다음에 반드시 _____ 이 와야 합니다.

▶ can을 이용한 의문문은 can을 주어 _____ 으로 보내고 문장 끝에 _____ 를 붙입니다. 의문문을 만들 때에도 동사는 반드시 원형으로 써야 합니다.

▶ can은 허락을 구하거나 부탁을 할 때에도 사용합니다.
· _____ I ask a question? 질문 하나 해도 돼요?

다음 단어를 3번씩 더 쓰세요.

	단어	뜻	쓰기
01	answer	대답하다	answer
02	clean	청소하다	clean
03	flower	꽃	flower
04	hamburger	햄버거	hamburger
05	history	역사	history
06	late	늦은	late
07	library	도서관	library
08	listen	듣다	listen
09	meet	만나다	meet
10	move	이사 가다	move
11	movie	영화	movie
12	photo	사진	photo
13	pick	꺾다	pick
14	pool	수영장	pool
15	question	질문	question
16	snow	눈	snow
17	soon	곧	soon
18	store	상점	store
19	swim	수영하다	swim
20	window	창문	window

1 다음 우리말 뜻에 해당하는 영어 단어를 쓰세요.

01 대답하다 → _____

02 수영장 → _____

03 곧 → _____

04 영화 → _____

05 햄버거 → _____

06 눈 → _____

07 꺾다 → _____

08 이사 가다 → _____

09 사진 → _____

10 늦은 → _____

11 상점 → _____

12 듣다 → _____

2 다음 우리말과 일치하도록 보기에서 알맞은 단어를 골라 쓰세요.

| hamburger | question | photos | move | history |

01 그녀는 그 질문에 대답할 것이다.

→ She is going to answer the _____ .

02 그들은 사진을 찍을 것이다.

→ They are going to take _____ .

03 브라운 선생님은 역사를 가르칠 것이다.

→ Mr. Brown is going to teach _____ .

중요문법 요점정리

▶ _____ 는 앞으로 일어날 일을 계획하거나, 예측할 때 사용합니다. be동사는 주어의 수나 인칭에 따라 _____ 사용하고, be going to 다음에 반드시 _____ 이 와야 합니다.

▶ be _____ going to는 '~하지 않을 것이다'라는 의미를 나타낼 때 사용합니다. _____ 다음에 not을 넣습니다.

▶ be going to 대신 _____ (~할 것이다)을 사용할 수도 있습니다. will 다음에 반드시 _____ 이 와야 합니다.

▶ be going to를 이용한 _____ 은 '~할 거니?'라는 뜻으로 앞으로 일어날 일을 물을 때 사용합니다. _____ 를 주어 앞으로 보내고 문장 끝에 물음표를 붙입니다.

다음 단어를 3번씩 더 쓰세요.

	단어	뜻	쓰기
01	animal	동물	animal
02	boring	지루한	boring
03	box	상자	box
04	brand-new	신제품의	brand-new
05	cookie	쿠키	cookie
06	cousin	사촌	cousin
07	cry	울다	cry
08	cute	귀여운	cute
09	delicious	맛있는	delicious
10	expensive	비싼	expensive
11	heavy	무거운	heavy
12	horse	말	horse
13	house	집	house
14	interesting	재미있는	interesting
15	live	살다	live
16	need	필요하다	need
17	short	짧은	short
18	singer	가수	singer
19	story	이야기	story
20	towel	수건	towel

1 다음 우리말 뜻에 해당하는 영어 단어를 쓰세요.

01 가수 → _____ 02 맛있는 → _____

03 무거운 → _____ 04 필요하다 → _____

05 수건 → _____ 06 집 → _____

07 울다 → _____ 08 살다 → _____

09 동물 → _____ 10 지루한 → _____

11 사촌 → _____ 12 짧은 → _____

2 다음 우리말과 일치하도록 보기에서 알맞은 단어를 골라 쓰세요.

animal   interesting   delicious   expensive   stories

01 저 책들은 재미없다.

→ Those books are not _____ .

02 이 이야기들은 재미있다.

→ These _____ are funny.

03 저 자동차는 매우 비싸다.

→ That car is very _____ .

중요문법 요점정리

▶ 지시형용사 this, _____, that, _____는 명사의 앞에 놓여 명사를 꾸며주는 역할을 할 수 있는데, 이때 _____와 these는 '이 ～', _____과 those는 '저 ～'로 해석합니다. [this/that + _____]와 [these/those + _____] 형태로 사용합니다.

▶ [지시형용사 + _____]는 문장의 주어나 목적어 자리에 올 수 있습니다.
  · _____ book is very interesting. 이 책은 매우 재미있다. (주어 역할)
  · He wants _____ pencils. 그는 저 연필들을 원한다. (목적어 역할)

▶ [this/that + _____]로 질문할 때에는 _____으로 대답하고,
  [these/those + _____]로 질문할 때에는 _____로 대답합니다.

Chapter 16 Vocabulary

다음 단어를 3번씩 더 쓰세요.

	단어	뜻	쓰기
01	afternoon	오후	afternoon
02	basket	바구니	basket
03	cousin	사촌	cousin
04	England	영국	England
05	farmer	농부	farmer
06	feed	먹이를 주다	feed
07	fresh	신선한	fresh
08	help	돕다	help
09	horse	말	horse
10	hospital	병원	hospital
11	housewife	가정주부	housewife
12	learn	배우다	learn
13	magazine	잡지	magazine
14	nurse	간호사	nurse
15	popular	인기 있는	popular
16	stage	무대	stage
17	strawberry	딸기	strawberry
18	teach	가르치다	teach
19	weekend	주말	weekend
20	yellow	노란	yellow

1 다음 우리말 뜻에 해당하는 영어 단어를 쓰세요.

01 사촌 → _____   02 배우다 → _____

03 주말 → _____   04 딸기 → _____

05 병원 → _____   06 돕다 → _____

07 간호사 → _____   08 농부 → _____

09 먹이를 주다 → _____   10 가정주부 → _____

11 가르치다 → _____   12 무대 → _____

2 다음 우리말과 일치하도록 보기에서 알맞은 단어를 골라 쓰세요.

> cousins   hospital   magazine   nurse   popular

01 그 잡지는 재미있다.

→ The _____ is interesting.

02 이 노래들은 인기가 있다.

→ These songs are _____ .

03 존과 톰은 나의 사촌들이다.

→ John and Tom are my _____ .

중요문법 요점정리

▶ He / She / They / It은 문장에서 _____ 역할을 합니다.

· My brother is 10 years old. _____ is very smart.

내 남동생은 10살이다. 그는 매우 영리하다. (he = _____)

▶ him / her / them / us / it은 동사 뒤에 와서 _____ 역할을 합니다.

· John and Tom are my friends. I like _____ .

존과 톰은 나의 친구들이다. 나는 그들을 좋아한다. (them = _____)

· Jane and I learn English. Mr. Ted teaches _____ .

제인과 나는 영어를 배운다. 테드 선생님이 우리를 가르치신다. (us = _____)

Vocabulary **Workbook**
Answers
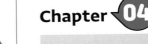

Chapter 01

1 01 lamp 02 zebra 03 airplane 04 chair
05 museum 06 banana 07 eraser 08 elephant
09 house 10 library 11 uncle 12 cabbage

2 01 umbrella 02 orange 03 flower
04 eraser 05 elephant

중요문법 요점정리
▶ 사람 / 장소 / 사물 / 동물
▶ a / an •a / a / a / a •an / an / an / an

Chapter 02

1 01 rose 02 sheep 03 onion 04 box
05 carrot 06 brother 07 store 08 zoo
09 bench 10 potato 11 violin 12 glass

2 01 playground 02 road 03 office

중요문법 요점정리
▶ 단수 / 복수
▶ s / desks / es / buses / s / toys / es / cities / ves / wolves

Chapter 03

1 01 friend 02 sister 03 teacher
04 strawberry 05 like 06 live
07 very 08 visit 09 car
10 market 11 room 12 uncle

2 01 hairstyle 02 friends 03 parents

중요문법 요점정리
▶ 인칭대명사 / 인칭대명사
▶ (1) he (2) she (3) it (4) we (5) you (6) they

Chapter 04

1 01 busy 02 house 03 beautiful 04 dancer
05 bag 06 ball 07 classmate 08 scientist
09 puppy 10 cousin 11 hungry 12 singer

2 01 police officer 02 fresh 03 nurse

중요문법 요점정리
▶ am / is / are / I / am / 복수명사 / are / 단수명사 / is

Chapter 05

1 01 hot 02 clever 03 voice
04 hair 05 windy 06 live
07 desk 08 famous 09 angry
10 drive 11 ribbon 12 rainy

2 01 voice 02 weather 03 handsome

중요문법 요점정리
▶ 형용사 / 앞에서 / 뒤에서 / 형용사 / tall / red / 명사 / good / fresh

Chapter 06

1 01 movie 02 rich 03 teacher 04 foolish
05 pumpkin 06 actor 07 classroom 08 popular
09 writer 10 happy 11 heavy 12 baseball

2 01 classmate 02 cucumber 03 housewife

중요문법 요점정리
▶ 않는 / 부정문
▶ not / 다음 / am / not / are / not

Chapter 07

1
01 doctor	02 delicious	03 parents	04 old
05 teacher	06 smart	07 tired	08 famous
09 lawyer	10 friend	11 lamp	12 cook

2 01 lawyers 02 kind 03 vegetables

중요문법 요점정리
- ▶ 의문문
- ▶ be동사 / 물음표
- ▶ Yes / No / 인칭대명사 / she / isn't

Chapter 08

1
01 cap	02 notebook	03 computer	04 carrot
05 English	06 library	07 parents	08 shoe
09 bag	10 camera	11 flower	12 doll

2 01 house 02 socks 03 penguins

중요문법 요점정리
- ▶ 지시대명사 / this / that / these / those
- ▶ is / are
- ▶ it / they

Chapter 09

1
01 river	02 ride	03 bicycle	04 beach
05 Chinese	06 learn	07 tail	08 drink
09 breakfast	10 song	11 horse	12 together

2 01 poor 02 baseball 03 museum

중요문법 요점정리
- ▶ be동사 / 일반동사
- ▶ 동작 / run / sing
- ▶ 상태 / like / love
- ▶ 동사원형 / 현재

Chapter 10

1
01 tail	02 lunch	03 Sunday	04 weekend
05 letter	06 noon	07 bird	08 night
09 new	10 study	11 meet	12 park

2 01 people 02 morning 03 afternoon

중요문법 요점정리
- ▶ 3 / s / es
- ▶ s / comes / 자음 / studies / 모음 / plays / es / goes

Chapter 11

1
01 carrot	02 meat	03 know	04 love
05 meet	06 glasses	07 dictionary	08 talk
09 live	10 coffee	11 Chinese	12 river

2 01 ride 02 get up 03 spaghetti

중요문법 요점정리
- ▶ do / does
- ▶ don't / doesn't / 동사원형 / drink / have

Chapter 12

1
01 short	02 piano	03 history	04 math
05 nose	06 teach	07 learn	08 music
09 speak	10 towel	11 need	12 fruit

2 01 market 02 tropical 03 library

중요문법 요점정리
- ▶ Do / Does / Do / live
- ▶ Do / Does
- ▶ 인칭대명사 / he / doesn't

Chapter 13

1
01 cook	02 eat	03 ride	04 horse
05 believe	06 guitar	07 attend	08 drive
09 race	10 buy	11 meeting	12 speak

2 01 participate　02 understand　03 attend

중요문법 요점정리
▶ 능력 / 동사원형
▶ 동사원형
▶ 앞 / 물음표
▶ Can

Chapter 14

1
01 answer	02 pool	03 soon
04 movie	05 hamburger	06 snow
07 pick	08 move	09 photo
10 late	11 store	12 listen

2 01 question　02 photos　03 history

중요문법 요점정리
▶ be going to / 다르게 / 동사원형
▶ not / be동사
▶ will / 동사원형
▶ 의문문 / be동사

Chapter 15

1
01 singer	02 delicious	03 heavy	04 need
05 towel	06 house	07 cry	08 live
09 animal	10 boring	11 cousin	12 short

2 01 interesting　02 stories　03 expensive

중요문법 요점정리
▶ these / those / this / that / 단수명사 / 복수명사
▶ 명사 / This / those
▶ 단수명사 / it / 복수명사 / they

Chapter 16

1
01 cousin	02 learn	03 weekend
04 strawberry	05 hospital	06 help
07 nurse	08 farmer	09 feed
10 housewife	11 teach	12 stage

2 01 magazine　02 popular　03 cousins

중요문법 요점정리
▶ 주어 / He / my brother
▶ 목적어 / them / John and Tom / us / Jane and I

Longman

GRAMMAR HOUSE
초등영문법

ANSWERS

1

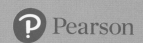

PEARSON

✈ Answers

Chapter 01 명사

Practice 1 p. 7

1 01 father 02 chair 03 banana 04 library
05 zebra

2 01 artist, sister, boy, student
02 hospital, church, library, park
03 onion, carrot, tomato, cabbage
04 pencil, train, desk, doll

Practice 2 p. 8

1 01 an 02 a 03 a 04 an
05 a 06 an 07 a 08 an
09 an 10 a 11 a 12 an
13 an 14 a

해석 및 해설
04 모음 발음 앞에는 an이 들어갑니다.

2 01 a 02 a 03 a 04 an
05 a 06 an 07 a 08 a
09 an 10 a 11 an 12 a
13 a 14 a

Practice 3 p. 9

1 01 a / 고양이 02 an / 지우개 03 a / 야구모자
04 a / 피아노 05 an / 우산 06 an / 오렌지
07 a / 상자 08 a / 꽃 09 a / 공원
10 an / 달걀 11 an / 코끼리 12 a / 식당
13 a / 집 14 a / 소녀 15 an / 팔

해석 및 해설
02/05/06/10/11/15 모음 발음 앞에는 an이 들어갑니다.

Chapter 02 명사의 복수형

Practice 1 p. 11

1 01 dogs 02 buses 03 watches 04 cities
05 knives 06 carrots 07 children 08 toys
09 potatoes 10 pencils 11 balls 12 women

Practice 2 p. 12

1 01 pencils 02 sheep 03 watches 04 boxes
05 benches 06 potatoes 07 glasses 08 roses
09 wolves 10 eggs

해석 및 해설
01 연필 5자루
02 양 2마리
03 손목시계 3개
04 박스 9개
05 긴 의자 2개
06 감자 4개
07 유리잔 6개
08 장미 8송이
09 늑대 4마리
10 달걀 3개

Practice 3 p. 13

1 01 a cat 02 wolves 03 watches 04 women
05 an onion 06 apples 07 children 08 glasses
09 boxes 10 bags 11 an umbrella
12 violins

Chapter 03 인칭대명사 I

Practice 1 p. 15

1 01 you 02 we 03 him 04 you
05 it 06 they 07 our 08 your
09 their 10 she 11 your 12 his
13 them 14 my 15 her 16 it
17 me 18 you 19 he 20 us

2 01 he 02 she 03 she 04 he
05 they 06 it 07 we 08 they
09 you 10 they

Practice 2 p. 16

1 01 your 02 They 03 him 04 her
05 We 06 your 07 their 08 us
09 it 10 her 11 me 12 your

Practice 3

p. 17

1
01 you / Your	02 His / his	03 my / them
04 it / Its	05 us / our	06 his / her
07 them / their	08 My / It	09 Her / their
10 his / them	11 It / your	12 They / them

Chapter 04 be동사

Practice 1

p. 19

1
01 am	02 They	03 are	04 is
05 are	06 is	07 is	08 is
09 It	10 is	11 are	12 are

Practice 2

p. 20

1
01 is	02 is	03 are	04 are
05 is	06 is	07 are	08 is
09 are	10 are	11 is	12 is

Practice 3

p. 21

1
01 I'm your English teacher.
02 He's my cousin.
03 We're Americans.
04 They're my parents.
05 You're a scientist.

해석 및 해설

01 나는 너희들의 영어선생님이다.

02 그는 나의 사촌이다.

03 우리는 미국인이다.

04 그들은 나의 부모님이다.

05 너는 과학자다.

2
01 I am a doctor.
02 They are my friends.
03 He is your uncle.
04 You are beautiful.
05 John is a nurse.

Review Test 1

p. 22

01 ⑤	02 ③	03 a	04 a	05 an	06 ④	07 ②
08 birds	09 watches	10 wolves	11 ②	12 He		
13 We	14 They	15 They	16 is	17 are	18 is	
19 His	20 his / them	21 their	22 his	23 We		
24 him	25 (1) men (2) children (3) mice (4) sheep					

26 There are five apples on the table.
27 Tom and Jane are my friends.   28 I have an onion.
29 They / We / them   30 us / He / our

해석 및 해설

01 *am은 be동사입니다.

02 *tiger는 동물입니다.

06 *knife의 복수형은 knives입니다.

07 *woman의 복수형은 women입니다.

11 *you의 소유격은 your입니다.

12 나의 형은 학생이다. 그는 학생이다.

13 제인과 나는 가수들이다. 우리는 가수들이다.

14 그 사과들은 신선하다. 그것들은 신선하다.

15 내 친구들은 공원에 있다. 그들은 공원에 있다.

16 그것은 컴퓨터다.

17 톰과 짐은 내 친구들이다.

18 나의 엄마는 의사다.

26 식탁에 사과가 5개 있다.

27 톰과 제인은 내 친구들이다.

28 나는 양파가 한 개 있다.

Chapter 05 형용사 I

Practice 1

p. 27

1
01 hungry 배고픈	02 famous 유명한
03 old 오래된, 낡은	04 yellow 노란
05 small 작은	06 busy 바쁜
07 clever 영리한	08 black 검은
09 sunny 맑은	10 handsome 잘생긴
11 big 커다란	12 sleepy 졸린
13 cute 귀여운	14 rainy 비가 오는
15 green 초록색의	

해석 및 해설

01 나는 배가 고프다.

02 그는 유명한 가수이다.

03 나는 오래된 컴퓨터가 있다.

04 그것은 노란 우산이다.

05 나의 방은 작다.

06 그들은 지금 바쁘다.

07 그녀는 영리한 소녀이다.

08 그는 검은 피아노가 있다.

09 오늘 날씨가 맑다.

10 나의 동생은 매우 잘생겼다.

11 그는 커다란 집에 산다.

12 나는 지금 졸리다.

13 토니는 귀엽다.

14 오늘 비가 온다.

15 그는 초록색의 자동차를 운전한다.

Practice 2   p. 28

1 01 잘생긴 소년   02 오래된 책   03 더러운 자동차
04 노란 버스   05 신선한 야채   06 작은 집
07 검은 리본   08 예쁜 인형   09 유명한 가수
10 행복한 소년

2 01 dirty   02 tall   03 sunny   04 full
05 windy   06 new

Practice 3   p. 29

1 01 clean   02 fresh   03 beautiful   04 slow
05 hot   06 angry   07 short   08 new
09 nice   10 square

Chapter 06 be동사 부정문

Practice 1   p. 31

1 01 are not   02 is not   03 is not   04 is not
05 are not   06 are not   07 am not   08 are not
09 is not   10 is not   11 is not   12 is not
13 is not   14 are not   15 are not

해석 및 해설

01 우리는 가수들이 아니다.

02 그녀는 행복하지 않다.

03 그것은 소파가 아니다.

04 그는 내 남동생이 아니다.

05 나의 친구들은 배가 고프지 않다.

06 그 쿠키들은 맛있지 않다.

07 나는 훌륭한 학생이 아니다.

08 그들은 나의 부모가 아니다.

09 그 상자는 무겁지 않다.

10 샘은 학생이 아니다.

11 그녀는 교실에 없다.

12 그 영화는 지루하지 않다.

13 토미는 유명한 배우가 아니다.

14 우리는 아침에 바쁘지 않다.

15 제인과 나는 피곤하지 않다.

Practice 2   p. 32

1 01 is not new   02 is not cold
03 is not rich   04 are not my friends
05 is not fast   06 are not popular
07 is not good   08 am not busy
09 is not my bag   10 is not a cucumber
11 is not an apple   12 is not my classmate

Practice 3   p. 33

1 01 aren't actors / are singers
02 isn't a cucumber / is a pumpkin
03 not a doctor / am a nurse
04 aren't Japanese / are Korean
05 aren't my friends / are my cousins
06 isn't a teacher / is a student
07 isn't a writer / is a movie director
08 aren't sad / are happy
09 aren't foolish / are smart
10 isn't my sister / is my friend
11 isn't a scientist / is a housewife
12 aren't tall / are short

Chapter 07 be동사 의문문

Practice 1   p. 35

1 01 Are you   02 Is she
03 Are they   04 Are the vegetables
05 Is it   06 Is he
07 Are you   08 Is Jimmy
09 Are Sam and Tony   10 Are they
11 Is Mike   12 Are they

해석 및 해설

01 너는 요리사다.

02 그녀는 중국에서 왔다.

03 그들은 그의 부모다.

04 그 야채들은 신선하다.

05 그것은 낙타다.

06 그는 지금 바쁘다.

07 너희들은 유명한 배우들이다.

08 지미는 너의 친구다.

09 샘과 토니는 영리하다.

10 그들은 교실에 있다.

11 마이크는 미국인이다.

12 그들은 졸리다.

07 네 친구들은 키가 크니?

08 그들은 의사이니?

09 네 부모님은 바쁘시니?

10 그것은 등이니?

11 너의 남동생은 졸리니?

12 너의 컴퓨터는 오래되었니?

Practice 2
p. 36

1 01 they are / they aren't 02 she is / she isn't
03 she is / she isn't 04 he is / he isn't
05 he is / he isn't 06 I am / I'm not
07 they are / they aren't 08 it is / it isn't
09 they are / they aren't 10 he is / he isn't
11 we are / we aren't 12 they are / they aren't

해석 및 해설

01 그것들은 네 책들이니?

02 네 누나는 키가 크니?

03 그녀는 한국에서 왔니?

04 네 형은 학생이니?

05 네 아버지는 지금 바쁘시니?

06 너는 선생님이니?

07 네 친구들은 교실에 있니?

08 그것은 카메라니?

09 네 선생님들은 친절하시니?

10 스미스 씨는 네 삼촌이니?

11 너희들은 유명한 가수들이니?

12 그것들은 맛이 있니?

Practice 3
p. 37

1 01 Is she 02 Are you 03 Is it 04 Is he
05 they are 06 she isn't 07 they are 08 Are they
09 they are 10 it isn't 11 he isn't 12 it is

해석 및 해설

01 그녀는 학생이니?

02 너희들은 변호사들이니?

03 그것은 고양이니?

04 그는 피곤하니?

05 그것들은 맛있니?

06 너의 누나는 방에 있니?

Chapter 08 지시대명사

Practice 1
p. 39

1 01 This 02 Those 03 That 04 These
05 That 06 These 07 Those 08 this
09 Are 10 caps 11 notebook 12 friends

Practice 2
p. 40

1 01 This 02 These 03 That 04 These
05 Those 06 those

2 01 it is 02 it isn't 03 they aren't
04 they are

해석 및 해설

01 저것은 네 집이니?

02 이것은 그의 카메라니?

03 이것들은 그의 장갑들이니?

04 저것들은 네 고양이들이니?

Practice 3
p. 41

1 01 that 02 This 03 those 04 aren't
05 These 06 Those 07 Are 08 computer
09 aren't 10 Those 11 are 12 flowers

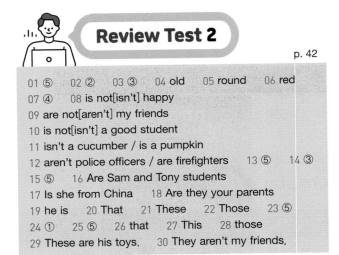

Review Test 2

p. 42

01 ⑤ 02 ② 03 ③ 04 old 05 round 06 red
07 ④ 08 is not[isn't] happy
09 are not[aren't] my friends
10 is not[isn't] a good student
11 isn't a cucumber / is a pumpkin
12 aren't police officers / are firefighters 13 ⑤ 14 ③
15 ⑤ 16 Are Sam and Tony students
17 Is she from China 18 Are they your parents
19 he is 20 That 21 These 22 Those 23 ⑤
24 ① 25 ⑤ 26 that 27 This 28 those
29 These are his toys. 30 They aren't my friends.

해석 및 해설

01 *potato는 '감자'라는 명사입니다.
02 샘은 지금 화가 났다.
03 그는 갈색의 피아노가 있다.
07 *famous는 '유명한'이란 의미입니다.
08 그녀는 행복하다.
09 그들은 나의 친구들이다.
10 테드는 좋은 학생이다.
13 A: 그것들은 네 책들이니?
14 A: 네 형은 학생이니?
15 A: 네 친구들은 교실에 있니?
16 샘과 토니는 학생이다.
17 그녀는 중국에서 왔다.
18 그들은 네 부모님이다.
19 A: 네 아버지는 치과의사니?
23 A: 저것들은 네 책들이니?
24 A: 이것은 네 고양이니?
25 ① 그들은 나의 부모님이 아니다.
　② 그 상자는 무겁지 않다.
　③ 저들은 나의 친구들이다.
　④ 이것은 컴퓨터다.
　*These는 복수이므로 are가 와야 합니다.

Chapter 09 일반동사

Practice 1

p. 47

1 01 eat / 먹다 02 play / 게임하다
03 go / 가다 04 drink / 마시다
05 like / 좋아하다 06 learn / 배우다
07 clean / 청소하다 08 live / 살다
09 sing / 노래하다 10 wash / 씻다
11 work / 일하다 12 run / 달리다

해석 및 해설

01 나는 7시에 아침식사를 한다.
02 나는 컴퓨터 게임을 한다.
03 그들은 방과 후 해변에 간다.
04 너는 커피를 마신다.
05 나의 친구들은 과일을 좋아한다.
06 우리는 영어를 배운다.
07 그들은 방을 청소한다.
08 나는 한국에 산다.
09 테드와 나는 함께 노래 부른다.
10 나는 설거지를 한다.
11 우리는 은행에서 일한다.
12 그들은 빠르게 달린다.

Practice 2

p. 48

1 01 go 02 learn 03 drink 04 play
05 want 06 make 07 swim 08 watch
09 help 10 sleep

Practice 3

p. 49

1 01 They drink milk 02 The horses like carrots.
03 We eat dinner 04 We read books
05 They have a computer.
06 My friends visit the museum
07 We like pizza.
08 Kevin and I learn English.
09 They have a long tail.
10 The girls ride bicycles.
11 We sing carols
12 I help poor people.

Chapter 10 일반동사의 변화

Practice 1
p. 51

1
01 likes	02 has	03 meets	04 drinks
05 play	06 watches	07 cries	08 walks
09 goes	10 washes	11 works	12 does

Practice 2
p. 52

1
01 wants	02 fixes	03 runs	04 reads
05 lives	06 studies	07 brushes	08 eats / has
09 has	10 flies		

해석 및 해설
02/07 −o, −sh, −ch, −x로 끝나는 동사는 −es를 붙입니다.
06/10 [자음+y]로 끝나는 경우 y를 i로 바꾸고 −es를 붙입니다.
08 has는 '먹다'라는 의미로도 사용합니다.

Practice 3
p. 53

1
01 helps / help	02 play / plays	03 enjoy / enjoys
04 has / have	05 goes / go	06 listens / listen
07 fly / flies	08 go / goes	09 writes / write
10 stay / stays	11 like / likes	12 fixes / fix

해석 및 해설
01 그녀는 가난한 사람들을 돕는다.
02 내 친구들은 일요일에 야구를 한다.
03 우리는 독서를 즐긴다.
04 내 형은 집에서 점심을 먹는다.
05 그 소년은 매일 공원에 간다.
06 그녀는 라디오를 듣는다.
07 새들이 하늘에서 난다.
08 나는 매주 주말 쇼핑하러 간다.
09 그는 부모님께 편지를 쓴다.
10 내 누나는 일요일에 집에 있다.
11 샘과 나는 TV 보는 것을 좋아한다.
12 그 소년은 내 자전거를 고친다.

Chapter 11 일반동사 부정문

Practice 1
p. 55

1
01 don't	02 doesn't	03 doesn't	04 don't
05 don't	06 don't	07 doesn't	08 don't
09 don't	10 doesn't	11 don't	12 don't

해석 및 해설
02/03/07/10 3인칭 단수 주어 부정문은 doesn't를 붙입니다.

Practice 2
p. 56

1
01 doesn't like vegetables	02 doesn't take a walk
03 doesn't run fast	04 don't learn Chinese
05 doesn't have a sister	

해석 및 해설
01 토니는 야채를 좋아한다.
  *3인칭 단수 주어 부정문은 doesn't를 동사 앞에 붙입니다.
02 그녀는 산책한다.
03 그것은 빠르게 달린다.
04 그녀와 나는 중국어를 배운다.
05 그는 누나가 있다.

2
01 doesn't / does not	02 doesn't / does not
03 meet	04 don't / do not
05 have	

해석 및 해설
01 그는 그의 누나와 얘기하지 않는다.
02 내 형은 자전거를 타지 않는다.
03 신디는 그녀의 친구들을 만나지 않는다.
04 나는 일찍 일어나지 않는다.
05 케빈은 노란 가방이 없다.

Practice 3
p. 57

1
01 doesn't go	02 doesn't have	03 don't eat
04 doesn't get up	05 doesn't use	06 don't play
07 doesn't sleep	08 don't like	09 doesn't watch
10 don't know		

해석 및 해설
02 *3인칭 단수 주어 부정문은 doesn't를 동사 앞에 붙입니다.

Chapter 12 일반동사 의문문

Practice 1
p. 59

1 01 Do / like　02 Does / study　03 Do / learn
04 Does / teach　05 Does / play

해석 및 해설

01 너는 열대 과일을 좋아한다.

02 그녀는 수학을 공부한다.

03 그들은 영어를 배운다.

04 그는 중국어를 가르친다.

05 메리는 피아노를 연주한다.

Practice 2
p. 60

1 01 Does it have a short tail?
02 Do they speak Korean?
03 Does Jane wash the dishes?
04 Do your brothers play basketball?
05 Does the girl need a towel?

해석 및 해설

01 그것은 꼬리가 짧다.

02 그들은 한국어로 말한다.

03 제인은 설거지를 한다.

04 네 형들은 농구를 한다.

05 그 소녀는 수건이 필요하다.

2 01 Does　02 Do　03 have　04 he
05 doesn't

해석 및 해설

01 너의 삼촌은 영어로 말을 하니?

　*3인칭 단수 주어 의문문은 문장 앞에 Does를 붙입니다.

02 그 소녀들은 중국어를 배우니?

03 그것은 코가 기니?

04 그 소년은 딸기를 좋아하니?

　*the boy는 대명사 he로 받습니다.

05 너의 언니는 고등학교에 다니니?

Practice 3
p. 61

1 01 she does　02 they do　03 they don't
04 they don't　05 she doesn't　06 I do
07 she doesn't　08 he does　09 she does
10 she doesn't　11 he does　12 they do

Review Test 3
p. 62

01 ④　02 ③　03 drink　04 play　05 watch
06 ②　07 ②　08 ②　09 cries　10 has　11 studies
12 ③　13 don't like apples
14 doesn't play computer games
15 doesn't have a car　16 don't learn English
17 ④　18 doesn't play soccer
19 doesn't ride a bicycle　20 doesn't have a watch
21 I do / we do　22 she doesn't　23 ③
24 Do you like roses? / You don't like roses.
25 Does he study science? / He doesn't study science.
26 Does Kevin take a bath? / Kevin doesn't take a bath.
27 My parents don't like spaghetti.
28 Do the students clean the classroom?
29 A: Does B: No, she doesn't.　30 lives

해석 및 해설

01 *long은 '긴'이란 의미의 형용사입니다.

02 *work는 '일하다'라는 의미이고 '걷다'라는 의미는 walk입니다.

03 그들은 우유를 마신다.

04 우리는 축구를 한다.

05 나는 TV를 본다.

06 *cry의 3인칭 단수형은 cries입니다.

07 *주어가 Mike이므로 동사는 3인칭 단수형이 들어가야 합니다.

08 ① 그녀는 사과를 좋아한다.

　　③ 그녀는 컴퓨터 게임을 한다.

　　④ 그는 버스로 학교에 간다.

　　⑤ 내 누나가 설거지를 한다.

　　*주어가 they이므로 동사는 원형인 learn이 되어야 합니다.

09 그 아기는 밤에 운다.

10 테드는 컴퓨터가 있다.

11 케빈은 영어공부를 한다.

13 나는 사과를 좋아한다.

14 내 누나는 컴퓨터 게임을 한다.

15 그는 자동차가 있다.

16 샘과 토니는 영어를 배운다.

17 *주어가 3인칭 단수형일 때는 doesn't가 들어가고, 그 외에는 don't가 들어갑니다.

18 그는 축구를 하지 않는다.

19 내 남동생은 자전거를 타지 않는다.

20 신디는 시계를 가지고 있지 않다.

21 A: 너(희)는 영어를 배우니?

22 A: 그녀는 영국에서 사니?

23 *주어가 3인칭 단수형인 경우 일반동사 의문문에는 Does를 씁니다.

24 너는 장미를 좋아한다.

25 그는 과학을 공부한다.

26 케빈은 목욕한다.

27 나의 부모님은 스파게티를 좋아하지 않으신다.

28 그 학생들은 교실을 청소하니?

29 A: 네 여동생은 기타를 연주하니?

　　B: 아니, 그렇지 않아. 그녀는 피아노를 연주해.

Chapter 13 can의 쓰임

Practice 1
p. 67

1 01 can't speak 　　02 can attend
03 can't go 　　04 can't play
05 can't read 　　06 can't participate
07 can't ride 　　08 can't run
09 can wash 　　10 can jump
11 can't fix 　　12 can't believe

Practice 2
p. 68

1 01 Can, ride / he 　　02 wash / can't
03 Can, play / she can't 　　04 Can, understand / they
05 Can, run / it can 　　06 Can, fix / can't
07 come / I[we] can 　　08 speak / they can
09 play / she can 　　10 Can, read / Yes

해석 및 해설

01 A: 네 아빠는 말을 타실 수 있니?

02 A: 너는 설거지를 할 수 있니?

03 A: 네 누나는 테니스를 칠 수 있니?

04 A: 네 친구들은 중국어를 이해할 수 있니?

05 A: 네 개는 빨리 달릴 수 있니?

06 A: 네 삼촌은 자전거를 고칠 수 있니?

07 A: 너(희)는 파티에 올 수 있니?

08 A: 네 친구들은 영어로 말할 수 있니?

09 A: 그녀는 플루트를 연주할 수 있니?

10 A: 마이크는 한국어를 읽을 수 있니?

Practice 3
p. 69

1 01 can play the guitar 　　02 can drive a bus
03 can speak French 　　04 can swim in the sea
05 can help you
06 cannot answer the question
07 can move the box 　　08 cannot read it
09 can't run fast 　　10 can buy the car
11 cannot cook now 　　12 can't eat vegetables

Chapter 14 be going to의 쓰임

Practice 1
p. 71

1 01 going / take 　　02 is / meet
03 going / open 　　04 is not / pick
05 are / going 　　06 is / going
07 not going / buy 　　08 are / clean
09 are / swim 　　10 is / going
11 not going to 　　12 going to

Practice 2
p. 72

1 01 am going to meet 　　02 is going to snow
03 are going to take 　　04 are going to run
05 is going to watch 　　06 is going to listen
07 are going to go 　　08 is going to play
09 is going to teach 　　10 are going to like
11 is going to buy 　　12 is going to open

Practice 3
p. 73

1 01 am going to play / am not going to play
02 is going to answer / is not going to answer
03 is going to clean / is not going to clean
04 are going to listen / are not going to listen
05 is going to move / is not going to move
06 is going to eat / is not going to eat
07 is going to make / is not going to make
08 am going to visit / am not going to visit

Chapter 15 지시형용사

Practice 1
p. 75

1 01 This 02 that 03 These 04 That
05 these 06 toys 07 those 08 this
09 movie 10 dogs 11 That 12 cars

Practice 2
p. 76

1 01 That 02 Those 03 This 04 These
05 That 06 Those 07 That 08 This
09 That 10 These

Practice 3
p. 77

1 01 this / it 02 that / it 03 these / they
04 those / they 05 that / it

2 01 these 02 girls 03 Those 04 stories
05 that

Chapter 16 인칭대명사 II

Practice 1
p. 79

1 01 They 02 He 03 She 04 them
05 He 06 They 07 her 08 it
09 We 10 him 11 her 12 them

Practice 2
p. 80

1 01 He 02 She 03 She 04 They
05 them 06 him 07 He 08 it
09 us 10 They 11 We 12 them

Practice 3
p. 81

1 01 She 02 They 03 it 04 They
05 We 06 us 07 her 08 it
09 them 10 He 11 them 12 It

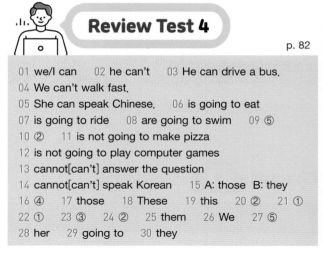

Review Test 4
p. 82

01 we/I can 02 he can't 03 He can drive a bus.
04 We can't walk fast.
05 She can speak Chinese. 06 is going to eat
07 is going to ride 08 are going to swim 09 ⑤
10 ② 11 is not going to make pizza
12 is not going to play computer games
13 cannot[can't] answer the question
14 cannot[can't] speak Korean 15 A: those B: they
16 ④ 17 those 18 These 19 this 20 ② 21 ①
22 ① 23 ③ 24 ② 25 them 26 We 27 ⑤
28 her 29 going to 30 they

해석 및 해설

01 A: 너(희)는 영어로 말할 수 있니?

02 A: 네 아빠는 그 자동차를 고치실 수 있니?

06 데이비드는 햄버거를 먹을 것이다.

07 테드는 자전거를 탈 것이다.

08 그들은 수영장에서 수영할 것이다.

11 나의 삼촌은 피자를 만들 것이다.

12 그녀는 컴퓨터 게임을 할 것이다.

13 나는 그 질문에 답할 수 있다.

14 그는 한국어로 말할 수 있다.

16 ① 그들은 바다에서 수영할 수 있다.
   ② 우리는 책을 읽을 것이다.
   ③ 캐시는 국수를 먹을 것이다.
   ⑤ 나의 친구들은 영어로 말할 수 있다.
   *can이나 can't 다음에는 동사원형이 와야 합니다.

20 A: 이 쿠키들은 맛있니?

21 A: 이것은 네 가방이니?

22 밥과 나는 영어를 배운다. 우리는 영어로 말할 수 있다

23 존과 톰은 나의 사촌들이다. 나는 그들을 좋아한다.

24 제인은 내 여동생이다. 나는 그녀를 사랑한다.

25 나는 쿠키를 좋아한다. 나는 매일 그것들을 먹는다.

26 톰과 나는 야구를 좋아한다. 우리는 매일 야구를 한다.

27 ① 이 책은 매우 재미있다.
   ② 이 사과들은 맛있다.
   ③ 나는 저 컴퓨터를 살 것이다.
   ④ 그는 저 연필들을 원한다.
   *This와 동사 is가 있으므로 단수형인 movie가 와야 합니다.

28 켈리는 나의 여동생이다. 나는 그녀를 사랑한다.
   *my younger sister이므로 her로 받아야 합니다.

30 A: 저 학생들은 네 친구들이니?
   B: 응, 그래.

실전모의고사 1회

01 ⑤   02 ①   03 ⑤   04 ⑤   05 square   06 long
07 isn't a horse / is a giraffe   08 ⑤   09 ④
10 watches   11 drinks   12 cries   13 ①   14 ②
15 ②   16 can   17 are going to bake
18 is going to play   19 them   20 These are her socks.

해석 및 해설

01 *beautiful은 '아름다운'이라는 의미의 형용사입니다.

02 내 남동생은 10살이다. / 그는 학생이다.

03 제인과 샘은 내 친구들이다. / 나는 그들을 좋아한다.

04 ① 내 남동생은 학생이다.
   ② 제인과 나는 가수들이다.
   ③ 이것은 그의 컴퓨터다.
   ④ 우리는 캐나다에 산다.
   *three가 있으므로 books가 되어야 합니다.

08 A: 그들은 너의 사촌이니?

09 A: 네 누나는 학생이니?

13 A: 이 책은 재미있니?

14 A: 저 말들은 빠르니?

15 ① 내 누나는 사과를 좋아한다.
   ③ 그녀는 매우 빨리 달린다.
   ④ 그는 강에서 수영한다.
   ⑤ 아빠는 그의 자동차를 세차한다.
   *주어가 복수 인칭대명사 we이므로 동사는 study가 와야 합니다.

17 우리는 쿠키를 구울 것이다.

18 그는 오늘 야구를 할 것이다.

19 켈리와 캐시는 내 사촌들이다.

실전모의고사 2회

01 ③   02 ⑤   03 ④   04 ③   05 our   06 his
07 ⑤   08 ①   09 ③   10 tall   11 strong
12 aren't her / your pencils   13 This is not my book.
14 They aren't my parents.   15 ③   16 ③   17 ④
18 부정문 Alice doesn't want a puppy.
의문문 Does Alice want a puppy?   19 is going to wash
20 are going to visit

해석 및 해설

01 *teacher는 '선생님'으로 사람과 관련한 명사입니다.

02 *sheep은 단수와 복수의 형태가 같습니다.

03 *watch의 3인칭 단수형은 watches입니다.

04 샘은 나의 형이다. 나는 그를 사랑한다.

07 나의 엄마는 자동차가 있다. / 그녀는 일요일에 세차한다.

08 A: 이것은 네 모자니?

09 A: 아빠는 의사시니?

15 ① 나의 아빠는 손목시계가 있다.
   ② 우리는 영어를 공부하지 않는다.
   ④ 그는 강에서 수영할 것이다.
   ⑤ 신디는 우유를 마시지 않는다.
   *can't 다음에는 동사원형이 와야 합니다.

16 A: 네 남동생은 자전거를 탈 수 있니?

17 A: 네 엄마는 자동차를 가지고 계시니?

18 앨리스는 강아지를 원한다.

19 그는 손을 씻을 것이다.

20 우리는 박물관을 방문할 것이다.

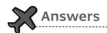

실전모의고사 **3**회

01 ③   02 ④   03 ④   04 her   05 your   06 ⑤
07 ⑤   08 ⑤   09 ⑤   10 reads   11 plays
12 studies   13 ③   14 ⑤   15 ③   16 ③   17 We
18 it is   19 We can't[cannot] speak
20 They aren't my dogs.

해석 및 해설

01 *eat은 '먹다'라는 의미의 동사입니다.

02 *long은 '긴'이란 의미로 형용사입니다.

03 수지와 테드는 학생들이다. 그들은 수학을 배운다.

06 *try의 3인칭 단수형은 tries입니다.

07 A: 이것들은 네 신발이니?

08 A: 저 말들은 빠르니?

09 *빈칸에는 명사 car를 수식하는 형용사가 올 수 있습니다.

13 ① 나는 책이 있다.

   ② 제시는 자전거를 탄다.

   ③ 식탁 위에 사과가 있다.

   ④ 나는 가방이 필요하다.

   ⑤ 존은 학생이다.

   *모음 소리가 오는 단어 앞에는 a가 아닌 an이 옵니다.

14 *나의 집을 묘사할 수 있는 형용사가 들어갈 수 있습니다.

   river는 '강'이란 의미로 명사입니다.

15 ① 나의 아빠는 신문을 읽으실 것이다.

   ② 제인과 앨리스는 나의 반 친구들이다.

   ④ 그는 서울에 산다.

   ⑤ 제임스는 노란 자전거가 있다.

   *these는 복수를 나타내므로 are가 와야 합니다.

16 나는 개가 3마리 있다. / 나는 오후에 그것들을 산책시킨다.

17 밥과 나는 한국인이다. / 우리는 한국어를 할 수 있다.

18 A: 저것은 네 집이니?

Longman

WORKBOOK
& ANSWERS

이름 :   점수 :

01 다음 중 명사가 <u>아닌</u> 것을 고르세요.
① girl   ② book
③ school   ④ bag
⑤ beautiful

[02–03] 다음 중 빈칸에 알맞은 인칭대명사를 고르세요.

02

My brother is 10 years old.
_____ is a student.

① He   ② She
③ It   ④ They
⑤ We

03

Jane and Sam are my friends.
I like _____.

① it   ② her
③ him   ④ us
⑤ them

04 다음 중 <u>어색한</u> 문장을 고르세요.
① My brother is a student.
② Jane and I are singers.
③ This is his computer.
④ We live in Canada.
⑤ I have three book.

[05–06] 다음 그림을 보고 빈칸에 알맞은 형용사를 쓰세요.

05

I have a _____ table.
나는 정사각형의 식탁이 있다.

06

The snake is _____.
그 뱀은 길다.

07 다음 우리말과 일치하도록 빈칸에 알맞은 말을 쓰세요.
(부정문은 축약형으로 쓰세요.)

그것은 말이 아니다. 그것은 기린이다.
(a horse / a giraffe)

→ It _____.
  It _____.

[08–09] 다음 중 대화의 빈칸에 알맞은 대답을 고르세요.

08

A: Are they your cousins?
B: Yes, _____.

① it is   ② you are
③ he is   ④ we are
⑤ they are

09

A: Is your sister a student?
B: No, _____.

① it isn't   ② you aren't
③ he isn't   ④ she isn't
⑤ they aren't

[10-12] 다음 그림을 보고 빈칸에 알맞은 말을 보기에서 골라 현재형으로 쓰세요.

| watch cry drink |

10

My dad _____ TV.
나의 아빠는 TV를 보신다.

11

Jessie _____ milk every day.
제시는 매일 우유를 마신다.

12

She _____ in her room.
그녀는 방에서 운다.

[13-14] 다음 중 대화의 빈칸에 알맞은 것을 고르세요.

13

A: Is this book interesting?
B: Yes, _____ .

① it is   ② they are
③ these are   ④ those are
⑤ this is

14

A: Are those horses fast?
B: No, _____ .

① it isn't   ② they aren't
③ these aren't   ④ those aren't
⑤ this aren't

15 다음 중 어색한 문장을 고르세요.

① My sister likes apples.
② We studies English.
③ She runs very fast.
④ He swims in the river.
⑤ My dad washes his car.

16 다음 그림을 보고 빈칸에 알맞은 말을 쓰세요.

He _____ swim in the river.
그는 강에서 수영할 수 있다.

[17-18] 다음 그림을 보고 be going to와 주어진 단어를 이용해서 문장을 완성하세요.

17 | bake |

We _____ cookies.

18 | play |

He _____ baseball today.

19 다음 밑줄 친 부분을 바르게 고치세요.

Kelly and Cathy are my cousins.
I love <u>him</u>.

→ _____

20 다음 주어진 단어들을 순서에 맞게 배열하세요.

| are   her   these   socks |
이것들은 그녀의 양말이다.

→ _____

01 다음 중 사물과 관련된 명사가 <u>아닌</u> 것을 고르세요.

① lamp　　　　　　② towel
③ teacher　　　　　④ pencil
⑤ computer

02 다음 중 명사의 복수형으로 알맞지 <u>않은</u> 것을 고르세요.

① girl - girls　　　　② woman - women
③ watch - watches　④ wife - wives
⑤ sheep - sheeps

03 다음 중 동사의 3인칭 단수형이 바르게 연결되지 <u>않은</u> 것을 고르세요.

① do - does　　　　② cry - cries
③ fix - fixes　　　　④ watch - watchs
⑤ go - goes

04 다음 중 빈칸에 알맞은 인칭대명사를 고르세요.

> Sam is my brother.
> I love _____.

① it　　　　　　　② her
③ him　　　　　　④ us
⑤ them

[05–06] 다음 우리말과 일치하도록 빈칸에 알맞은 말을 쓰세요.

05

저것은 우리 학교다.
→ That is _____ school.

06

이것은 그의 고양이이다.
→ This is _____ cat.

07 다음 중 빈칸에 들어갈 알맞은 것을 고르세요.

> My mom has a car.
> She washes _____ on Sunday.

① him　　　　　　② them
③ us　　　　　　　④ her
⑤ it

[08–09] 다음 중 대화의 빈칸에 알맞은 대답을 고르세요.

08

> A: Is this your cap?
> B: Yes, _____.

① it is　　　　　　② you are
③ he is　　　　　　④ we are
⑤ they are

09

> A: Is your dad a doctor?
> B: No, _____.

① it isn't　　　　　② you aren't
③ he isn't　　　　　④ she isn't
⑤ they aren't

[10-11] 다음 그림을 보고 우리말과 일치하도록 빈칸에 알맞은 형용사를 쓰세요.

10

James is very _____.
제임스는 매우 키가 크다.

11

He is a _____ man.
그는 강한 남자이다.

12 다음 우리말과 일치하도록 빈칸에 알맞은 말을 쓰세요.
(부정문은 축약형으로 쓰세요.)

그것들은 그녀의 연필 아니다.
그것들은 너의 연필이다.
(her / pencils)

→ They _____ _____ pencils.

They are _____ _____.

[13-14] 다음 주어진 단어들을 순서에 맞게 배열하세요.

13

is   my   this   book   not
이것은 나의 책이 아니다.

→ _____

14

they   parents   aren't   my
그들은 나의 부모님이 아니다.

→ _____

15 다음 중 어색한 문장을 고르세요.
① My dad has a watch.
② We don't study English.
③ She can't runs very fast.
④ He is going to swim in the river.
⑤ Cindy doesn't drink milk.

[16-17] 다음 중 대화의 빈칸에 알맞은 대답을 고르세요.

16

A: Can your brother ride a bicycle?
B: Yes, _____.

① I can   ② you can
③ he can   ④ she can
⑤ they can

17

A: Does your mom have a car?
B: No, _____.

① it isn't   ② they aren't
③ she aren't   ④ she doesn't
⑤ he doesn't

18 다음 문장을 부정문과 의문문으로 바꿔 쓰세요.

Alice wants a puppy.

부정문 _____

의문문 _____

[19-20] 다음 그림을 보고 be going to와 주어진 단어를 이용해서 문장을 완성하세요.

19   wash

He _____ his hands.

20   visit

We _____ a museum.

이름 :   점수 :

01 다음 중 형용사가 <u>아닌</u> 것을 고르세요.
① easy   ② hungry
③ eat   ④ long
⑤ tall

02 다음 중 동사가 <u>아닌</u> 것을 고르세요.
① come   ② have
③ live   ④ long
⑤ see

03 다음 중 빈칸에 알맞은 인칭대명사를 고르세요.

> Susie and Ted are students.
> _____ learn math.

① He   ② She
③ It   ④ They
⑤ We

[04–05] 다음 우리말과 일치하도록 빈칸에 알맞은 말을 쓰세요.

04

이것은 그녀의 가방이다.
➔ This is _____ bag.

05

그는 너희들의 선생님이다.
➔ He is _____ teacher.

06 다음 중 동사의 3인칭 단수형이 바르게 연결되지 <u>않은</u> 것을 고르세요.
① swim - swims   ② sing - sings
③ study - studies   ④ wash - washes
⑤ try - trys

[07–08] 다음 중 대화의 빈칸에 알맞은 대답을 고르세요.

07

> A: Are these your shoes?
> B: No, _____.

① it isn't   ② you aren't
③ he isn't   ④ she isn't
⑤ they aren't

08

> A: Are those horses fast?
> B: Yes, _____.

① it is   ② you are
③ he is   ④ we are
⑤ they are

09 다음 중 빈칸에 들어갈 수 <u>없는</u> 말을 고르세요.

> He has a(n) _____ car.

① old   ② yellow
③ nice   ④ black
⑤ eat

[10–12] 다음 그림을 보고 빈칸에 알맞은 말을 보기에서 골라 쓰세요. (필요하면 형태를 바꾸세요.)

> play   read   study

10

He _____ a book.
그는 책을 읽는다.

11

James _____ the guitar.
제임스는 기타를 연주한다.

12

She _____ English.
그녀는 영어를 공부한다.

13 다음 중 빈칸에 들어갈 말이 <u>다른</u> 것을 고르세요.
① I have _____ book.
② Jessie rides _____ bicycle.
③ There is _____ apple on the table.
④ I need _____ backpack.
⑤ John is _____ student.

14 다음 중 빈칸에 들어갈 수 <u>없는</u> 말을 고르세요.

> My house is _____.

① old   ② big
③ small   ④ beautiful
⑤ river

15 다음 중 <u>어색한</u> 문장을 고르세요.
① My dad is going to read a newspaper.
② Jane and Alice are my classmates.
③ These is not my books.
④ He lives in Seoul.
⑤ James has a yellow bicycle.

16 다음 중 빈칸에 알맞은 것을 고르세요.

> I have three dogs.
> I walk _____ in the afternoon.

① him   ② her
③ them   ④ those
⑤ this

17 다음 중 빈칸에 들어갈 말을 쓰세요.

> Bob and I are Korean.
> _____ can speak Korean.

→ _____

18 다음 대화의 빈칸에 알맞은 대답을 쓰세요.

> A: Is that your house?
> B: Yes, _____.

→ _____

19 다음 우리말과 일치하도록 주어진 단어를 이용하여 문장을 완성하세요.

> 우리는 중국어로 말할 수 없다.
> (speak)

→ _____ Chinese.

20 다음 우리말과 일치하도록 주어진 단어들을 순서에 맞게 배열하세요.

> they   dogs   aren't   my
> 그들은 나의 개가 아니다.

→ _____